KB104129

박수광 세 번째 수필집

해 질 녘의 꿈

머리글

자동차를 몰고 가다 보면 항상 아스팔트 포장 도로만 달리는 것이 아니고 덜컹거리는 비포장 도로를 달리기도하고 힘들게 오르는 언덕길도 있고, 겁나는 내리막길도 있기 마련이다.

인생길도 이같이 고속도로를 씽씽 달리는 사람이 있는 가하면 가는 길마다 장애물이 나타나서 정체되는 길을 힘들게 가는 사람이 있다. 그래서 어차피 가야 하는 길이라면 많은 사람들은 힘들지 않는 즐거운 길이 되었으면 좋겠다는 꿈을 갖게 마련이다.

“꿈은 이루어진다” 2002년 월드컵 응원석에 걸려있는 현수막 구호이다. 당시에 우리 국민들은 한마음으로 16강을 기원했고 드디어 꿈은 이루어져서 8강을 넘어 4강에 오르는 신화를 창조하였다.

꿈은 이루고 싶은 희망을 뜻하는 말이고, 꿈이 있다는 것은 살아있다는 의미이며 내일을 설계한다는 뜻이다. 그런데, 사람들은 나이가 들어 늙어지면 꿈을 접는 경우를 볼 수 있다. 꿈이 없는 삶은 길을 잃고 갈 곳을 못 찾아 헤매는 것과 다름이 없다.

나는 가끔씩 ‘인생은 어째서 한번 밖에 없을까?’ 하는 엉뚱한 생각을 해 본적이 있다. 만약에 인생이 첫 번째 삶과 두 번째 삶으로 나누어져 있다면, 첫 번째 삶에서 이루지 못한 꿈을 두 번 째 삶에서 다시 도전해 볼 수 있다면 얼마나 좋을까?

다행히 세상이 백세시대가 되면서 많은 사람들이 퇴직 후에 새로운 삶을 즐기려는 사회 풍토가 자연스럽게 확산되고 있는 것이 다행스러운 일이다.

내 나이 이제 팔십이 넘어 옛날 같으면 뒷방 신세가 되어있을 나이에 사랑하는 아내와 만나서 함께한 결혼 생활 50주년 금혼식을 맞이하여 세 번째 수필집 '해 질 녘의 꿈' 을 출간하게 되어 얼마나 영광스러운지 모르겠다.

더구나 예쁜 책이 만들어 질 수 있도록 삽화를 그려주신 서란 김선애 선생님께 진심으로 감사를 드리고 글을 쓸 수 있도록 격려를 해준 우리 가족과 편집을 도와준 아들 박건용, 표지 디자인을 꾸며준 며느리 김연경에게 고맙다는 말을 전한다.

2024년 이른 봄 날

본도 박 수 광

차 례

제 2 부 애들아 밥 먹어라

제 3 부 내 나이가 어때서

제 4 부 어느 마트 이야기

제 5부 해 질 녘의 꿈

제 6 부 뭘 먹고 살아야 하나

제 1 부 뻥튀기 할배

봄

봄은 참 좋다. 겨울이 끔찍하게 추워서 몸뚱이 하나 움직이기 싫어서 집안에 틀어박혀 있다 보니 누렇게 뜬 얼굴에 와 닿는 햇살이 따사로워지기 시작하면 기분이 들뜰 수 밖에 없다. 봄을 영어로 Spring이라고 한다. 영어 사전에서 Spring의 어원은 스프링이고, 용수철이고, 옹달샘의 의미도 가지고 있다.

그래서 더 재미있다. 스프링과 용수철은 통통 튄다. 옹달샘은 땅 속에서 솟아오르고 바위 틈에서 솟아오른다. 그래서 봄이 오면 사람들의 가슴 속에서 꿈이 솟아오르나 보다.

우리 집은 위로 누나가 있고, 아들 형제가 다섯이다, 그래서인지 둘째인 내가 딸 역할을 많이 한 것 같다. 봄이 오면 할머니께서는 봄나물을 캐러 나가셨는데, 유독 나를 데리고 다니셨다.

봄나물에는 들나물과 산나물이 있고, 들나물에는 냉이, 달래, 돌나물, 미나리, 민들레, 질경이, 꽃다지, 씀바귀, 고들빼기, 명아주, 소리쟁이 같은 것이 있다. 들나물을 뜯을 때 조심해야 할 것은 냉이, 민들레, 씀바

귀, 고들빼기는 뿌리가 맛 있어서 뿌리가 끊어지지 않게 뽑아야 하고, 쑥을 뜯을 때는 다른 나물과 섞이지 않도록 쑥 한가지만 뜯어야 한다. 할머니께서는 쑥은 쑥쑥 자란다고 해서 쑥이라고 하셨는데 그 말이 맞는 것 같다. 쑥은 뜯은 자리에서 새싹이 다시 돋아나는 것을 보면 알 수 있다.

산나물은 두릅, 엄나무순, 다래 순, 옻 나무 순, 오가피 순처럼 나무에서 싹이 나오는 순을 따는데, 할머니께서 순을 따고, 키가 작은 나는 고사리를 꺾거나 취나물을 주로 뜯었다. 취나물은 그 종류가 많다. 특히 참취는 산나물의 대명사로 불릴 만큼 향과 맛이 뛰어나서 데쳐서 말려두었다가 정월대보름날 볶아 먹기도 하고, 곰취는 쌈으로 먹지만 주로 장아찌를 담근다. 수리취는 떡으로 만들어 먹고, 개미취, 미역취는 나물로 볶아먹는다. 산나물에서 대박은 더덕과 도라지 잔대이다. 처음으로 잔대 뿌리를 캐었을 때 할머니께서 껍질을 벗겨주셔서 먹었는데, 아삭아삭하고 달콤한 맛이 제법 먹을 만 했다.

봄은 꽃의 계절이다. 동백, 산수유, 매화, 개나리, 진달래, 벚꽃, 목련은 개화 시기가 조금씩 차이가 있고, 꽃마다 색깔과 향기가 모두 다채롭고 풍부하여, 많은 사람들의 눈과 마음을 흔들어 놓기에 충분하다.

봄이 오면 제일 먼저 봄소식은 여수 오동도의 동백꽃을 시작으로 섬진강 매화 축제 소식이 전해지면, 사람들은 두꺼운 외투를 벗어 버리고 봄맞이 나들이 준비를 한다. 남쪽에서 핑크 빛 봄의 향연이 펼쳐질 때 우리 아파트 화단에는 산수유가 망울을 터뜨리고, 개나리가 피어나면서 노랑빛깔의 세상이 시작 된다.

'오 내사랑 목련화야, 그대 내 사랑 목련화야' 김동진 작곡 목련화의 가사이고, '하얀 목련이 필 때면, 다시 생각나는 사람' 양희은이 부른 하얀 목련의 가사이다. 이토록 꽃은 많은 사람들의 사랑을 받지만 내가 좋아하지 않는 꽃이 하나 있다. 바로 목련이다. 싱싱하고 풍성한 꽃잎이 아름답지만, 꽃이 지고 나면 오래되어 썩어버린 바나나 껍질같이 갈색으로 변해서 땅바닥에 흩어지는 꽃잎이 미관을 해치는 뒤끝이 안 좋아서이다.

어떤 책에서 읽었는데 동백꽃은 세 번 핀다고 하였다. 나무에서 활짝 피고, 꽃봉오리째 툭툭 떨어져 땅 위에서 다시 한 번 핀다. 그리고 보는 사람의 가슴 속에서 또 한 번 동백꽃이 핀다고 하였다. 이렇게 봄은 꽃과 함께 우리를 즐겁고 행복하게 해준다.

봄은 희망의 계절이다. 이 땅 가득히 겨우내 황량했던 회색 빛 풍경 속에서, 봄이 오는 산골에는 고로쇠 수액을 받으려는 사람들의 발길이 바빠진다. 고로쇠 나무는 예로부터 뼈에 좋은 나무라 하여 골리수(骨利樹)라 불리다가 고로쇠가 되었다고 하는데, 캐나다의 유명한 메이플 시럽을 단풍나무에서 채취하는 것을 보면, 고로쇠 수액도 이 같은 수액의 일종인 것 같다.

내가 한때 텃밭 농사를 짓는다고 산골 집에서 살았을 때가 있다. 정원에 단풍나무가 너무 무성하여 전지를 하여 놓았을 때, 잘린 자리에서 수액이 뚝뚝 떨어지는 것을 보고 너무 늦게 전지를 했기 때문이라고 무심히 넘겼는데, 캐나다에서 단풍나무 수액 채취를 하는 것을 알게 되면서 단풍나무 수액을 채취해 보지 못한 것이 무척 아쉬웠다.

죽은 듯하였던 나뭇가지에서 새순이 하나 둘씩 돋아나는 새 봄에는 사람들의 가슴에도 희망이 함께 돋아난다. 코 흘리기 어린아이가 평생 처음으로 학교에 가는 날이 따사로운 봄이고, 온갖 제제를 받아 온 청소년이 고등학교에서 해방 되어 대학생이 되면서 눈치를 보지 않고 어른 행세를 할 수 있는 것도 봄의 선물이다. 특히 결혼 청첩장이 가장 많이 날아오는 봄은 인생의 첫발을 내 딛는 희망의 계절이다. 그래서 사람들은 인생의 봄을 청춘이라고 하지 않는가? 나는 봄의 설렘이 좋다.

어르신 요리 교실

“여러분! 제가 칼질하는 것을 잘 보세요” 선생님은 칼질하는 시범을 보이며, 손을 베지 않도록 서두르지 말고 천천히 하라고 하셨다.

나이 드신 할아버지들은 선생님의 설명을 열심히 듣고 있었다.

우리 복지관에서는 어르신 요리 교실을 일 년에 한번 40명 선발하여, 하루에 두 시간씩 5회에 걸쳐서 실시하고 있다.

오리엔테이션이 있는 첫 날, 위생교육 1시간을 마치고 각자 자기 소개를 하면서 요리 교실에 신청하게 된 동기를 발표하라고 하였다. 어르신들 대부분이 아내가 아프거나 혼자 살게 되었을 때 필요할 것 같기 때문이라고 비슷한 말을 하였다.

나는 재미있게 발표하여 분위기를 띄우는 것도 좋을 것 같아서 “결혼을 하여서 50년이나 아내가 해주는 밥을 먹고 살다 보니 어느새 아내도 나이가 들어서 허리도 아프고 무릎도 좋지 않아서 이제는 편히 쉬도록 하고, 내가 부엌일을 맡아 보려는 마음에서 배우게 됐다”고 하였더니 모두들 웃으며 박수를 쳐 주었다.

두 번째 날 드디어 요리를 배우는 시간이 되었다. 복지관에서 준비해 놓은 앞치마를 입고 선생님이 시범 보이는 조리대 앞에 둥그렇게 모였다. "지난 학기에는 집 반찬을 주로 만들었는데 이번 학기는 중국요리에 도전하게 되었다며, 오늘은 마파두부를 만든다고 하셨다."

마파두부는 중국 사천 지방을 대표하는 음식으로 '얽었다'는 의미의 '마(麻)'와 할머니를 뜻하는 '파(婆)'로 얼굴에 얽은 곰보 할머니가 처음 만든 음식이라는 유래가 전해진다고 한다.

선생님은 먼저 돼지고기에 다진 마늘, 굴 소스, 맛 술, 후추가루를 넣고 조물조물 버무려서 밑간을 해 놓은 뒤 마늘과 생강을 다지고, 대파는 송송 썰고, 양파는 채 썰고, 두부는 가로 세로 2cm되게 깍둑썰기를 하고, 피망은 알맞은 크기로 썰어 놓으셨다.

달구어진 팬에 식용유를 충분히 넣어 파 기름을 내고, 다진 마늘과 고춧가루를 넣어 고추기름을 만든 후에 밑간 된 돼지고기를 넣고 볶기 시작하였다. 고기가 잘 익었을 때 양파, 피망, 대파를 넣고 돼지고기의 잡내를 잡아주는 맛 술을 넉넉하게 넣은 후 두반장과 굴소스로 간을 하고, 물을 한 컵 넣은 후에 썰어놓은 두부를 넣고, 끓기 시작할 때 물에 갠 전분으로 농도를 맞추었다. 짧은 시간에 먹음직스러운 중국요리가 만들어졌다.

우리들은 선생님이 만든 마파두부를 시식하고 바로 실습에 들어갔다. 모두들 서툰 솜씨지만 마늘과 생강을 다지고 피망를 썰었다. 선생님께서는 한 사람씩 둘러보시며 부족한 부분을 도와 주셨다. 완성된 마파두부는 선생님께서 맛을 보시고 평가를 해 주셨는데, 내가 만든 것을 시식하시더니 "지난 학기에 경험이 있어서 아주 잘 하신다"고 칭찬 해 주셨다. 평가를 마친 마파두부는 준비해간 밀폐 용기에 담아서 집에 가져왔다. 저녁 식사 때 밥에 비벼서 먹으니 맛이 훌륭하다. 아내는 비주얼도 멋지고 맛도 좋다며, 레시피를 잘 기억해 두었다가 당신의 특기로 삼으면 좋을 것 같다고 칭찬을 하였다.

다음 날에는 계란 볶음밥과 토마토 수프를 만들고, 그 다음 날에는 고구마와 옥수수를 이용한 빠스를 배우고, 마지막 날에는 고추잡채를 배웠다. 모든 수업이 끝나고 식기와 도구를 정리하는데 옆 테이블에 어르신이 음식 만드는 게 별것 아니라고 빈정대는 말을 하였다. "어르신! 그런 말씀 하지 마세요! 시장이나 마트에서 구입해 온 마늘은 껍질을 벗기고, 생강은 묻어있는 흙을 씻어낸 후에 껍질을 까고, 다른 재료들도 일일이 다듬고 씻어야 음식을 만들 수 있는데, 여기서는 어르신들이 편안하게 할 수 있도록 모든 재료를 미리 준비해 주어서 쉽게 할 수 있었어요" 하였더니, "그런가요?" 하면서 쑥스러워 하였다.

그 후 몇 날이 지났다. 주말에 딸과 손주들이 다니러 온다고 해서 "내가 배운 요리를 아이들에게 만들어 주면 어떻겠느냐?"고 아내에게 물었더니, 자신 있으면 해 보라고 하였다.

이번 기회에 마파두부를 만들어서 아버지의 솜씨를 자랑 하겠다는 각오로 재료부터 깔끔하게 손질해 놓았다. 아내는 "마파두부는 잡곡밥보다 흰 쌀밥에 비벼 먹는 것이 맛있다"며 압력솥으로 하얀 쌀밥을 고슬고슬하게 지어 놓았다.

아이들이 도착하자 정성을 다해서 만든 마파두부를 밥상 가운데 올려 놓았다. 평소에 사용하지 않고 아껴 두었던 금색 라인이 선명한 꽃무늬 접시에 아내가 밥을 담아 놓으니 비주얼이 그럴듯하였다.

아이들이 맛있다고 한마디씩 하면서 엄지 척이다. 떠들썩하게 식사를 마친 후에 딸 아이가 한 마디 하였다. 이사를 하고 아직까지 집들이를 못하여 고민 중 인데, 아빠가 중국요리를 만들어 주면 좋겠다는 것이다. 물론 재미로 한 말이겠지만 나는 주저 없이 대답해 주었다. "걱정하지마! 아빠가 모두 해 줄게!"

달걀과 계란

달걀과 계란은 어떤 말이 옳은가? 사전을 찾아보면,

달걀: [명사] 닭이 낳은 알

계란(鷄卵): [명사] 닭이 낳은 알

결론적으로 달걀과 계란은 똑같이 '닭이 낳은 알'이고, 모두 표준어이다. 다만 계란은 한자어(漢字語)이고, 달걀은 우리말이라는 차이에서 한자어인 계란보다는 우리 말 달걀을 사용하자고 방송에서 여러 번 다루었다고 한다.

달걀은 영양을 고루 갖춘 완전 식품으로 알려져 있으며, 특히 단백질의 아미노산 조성은 영양학적으로 가장 이상적이라고 한다. 다만 노른자에 있는 콜레스테롤이 성인병의 원인이 된다고 해서 먹기를 꺼리는 사람도 있지만, 비타민과 철분이 많이 들어 있어서 건강한 성인은 하루에 한두 개 정도 먹는 것이 오히려 좋다고 한다.

계란으로는 계란 말이, 계란 찜, 계란덮밥, 계란탕, 계란 죽, 계란 볶음밥, 계란 지단, 계란 빵 등 다양한 음식을 만들 수 있지만, 달걀로 만든 음식 이름이 얼른 생각나지 않는 것이 흥미롭다.

우리는 계란 말이를 달걀 말이라 하지 않고, 계란빵을 달걀 빵이라 하지 않고, 계란덮밥을 달걀덮밥이라고 하지 않는 것을 보면 '계란이라는 명칭이 달걀보다 먼저 사용한 것이 아닐까?' 추측해 본다.

젊은 시절에 기차를 타고 여행을 할 때면 열차 안에서 홍익회 직원이 각종 주전부리와 간단한 음료를 카트에 싣고 다니면서 "삶은 계란이나 오징어, 땅콩 있어요!"를 외치며 복잡한 통로를 비집고 다녔다. "삶은 계란하고 사이다 한 병 주세요!" 아저씨는 그물망에 세 개씩 들어있는 삶은 계란과 오프너로 사이다 뚜껑을 따준다. 초록색 병 속에서 피어 오르는 방울방울이 시원한 청량감을 느끼게 한다. 사이다와 함께 먹는 삶은 계란의 맛은 기차 여행에서만 느낄 수 있는 '추억의 맛'에 틀림 없다.

우리 손녀들이 어렸을 때 할머니 집에 놀러 왔을 때이다. 할머니가 간식으로 계란을 삶아 주었는데, 갑자기 콜럼버스의 달걀 이야기가 생각나서 "제일 먼저 달걀을 세우는 사람은 소원 한 가지를 들어 주겠다"고 하였지만 누구도 세우지를 못하였다. "자! 할아버지가 달걀 세우는 것을 잘 봐"라고 하면서 계란의 공기집이 있는 뭉뚝한 쪽을 책상 위에 살짝 힘을 주워 깨뜨려 세워 놓고, "누구나 깨드려서 세우는 것은 할 수 있지만, 무슨 일이든지 처음 하는 것은 쉽지 않은 일이다"라고 콜럼버스의 이야기를 해 주었던 적이 있다.

우리 집은 일반적인 공산품은 마트를 이용하지만 농산물은 대체로 재래 시장을 이용하다 보니, 시장을 갈 때 장바구니를 들고 아내 뒤를 따라다니는 짐꾼 역할이 나의 임무이다. 그래서인지 늙은 부부가 함께 장을 보는 모습이 눈에 띄었는지 알아보는 사람도 생기고 단골 가게도 생겨났다.

하루는 계란을 사는데 주인 아저씨가 "우리 집 계란은 잠을 푹 잔 닭이 낳은 알이여서 건강한 계란"이라는 것이다. "세상에 잠을 자지 않는 닭도 있냐?"고 물었더니 대부분의 양계농가는 규격화 된 좁은 케이지(Cage)에서 사육을 하다 보니 활동을 못하여, 방사를 해서 키운 닭에 비해 건강 상태가 많이 떨어지는데, 일부 양계장에서는 밤새도록 불을 켜놓고 닭이 잠을 자지 못하게 하여서, 낮과 밤을 구분하지 못하는 닭이 하루에 계란을 2개씩 낳도록 유도하는 비양심적인 사람도 있다는 아저씨 말에 오싹한 기분이 든다.

시대가 변하여 대가족에서 핵 가족이 되어가고, 최근에는 1인 가족까지 늘어가는 추세이다 보니 80kg 쌀 한 가마가 20Kg 포대로 판매되더니 10kg, 5kg 소 포장이 생겨나고, 20kg 상자였던 감자, 고구마는 10kg, 5kg 작은 상자가 생기면서 100g 단위로 한 두 개까지 살 수 있는 소량 판매로 변했지만, 한 꾸러미에 10개였던 계란은 30개 한 판으로 늘어난 것을 보면 계란은 우리 밥상에서 꼭 필요한 식 재료 임에는 틀림없다. 더구나 다른 물가에 비하여 비교적 저렴하여, 부담 없이 구입할 수 있는 착한 가격으로 공급해 주는 양계사업자 분들에게 감사한 마음을 전하고 싶다.

건 배 사

세상을 살다 보면 상견례나 웃어른을 모시는 술자리 또는 직장 상사와 동료들이 함께하는 술자리가 있고, 친구들과 즐겁고 평안하게 어울리는 술자리 등 이런 저런 이유로 술을 마시게 되는데, 술을 마시기 전에 건배를 하는 것이 세계적으로 흔히 있는 관습이다.

지난 연말 평생교육원 팝송교실 종강을 하던 날 몇몇 회원들이 선생님을 모시고 조촐한 식사 자리를 마련하였다. 식사가 시작되기 전에 맥주 한 잔씩 따라놓고 반장 A씨가 최고 연장자인 나에게 건배 사를 한마디 해 달라고 하였다.

"그렇게 하지요" 대답을 한 후 "제가 '건배 사'라고 선창을 하면, 모두 따라서 '건배 사'라고 하세요" 그랬더니 한 친구가 "그냥 '건배 사' 라고 하지 마시고, 좋은 말씀을 간단히 해 주시고 의미 있는 구호를 선창해달라"는 것이었다. 그 친구는 내가 건배사의 의미도 모르는 줄 아는 모양이었다. "여러분! 건강하시고! 배려하시고! 사랑하세요! 건 배 사!"라고 했더니 모두 박장대소를 하면서 건배 사를 외쳤다.

“이대로!” 요즘 나이든 노인들의 대표적인 건배 사이다. 더 늙지 말고 더 아프지 말고 죽는 날까지 이대로 살았으면 좋겠다는 소박한 건배 사이다.

우리나라에는 건배 사라는 술 문화가 없었는데, 영어로 ‘Cheers’, 프랑스어 ‘Sante’, 독일어 ‘Prost’, 스페인어 ‘Salud’, 중국어 ‘Gan bei(干杯)’, 일본어 ‘Kanpai(乾杯)’와 같이 대부분 외국 사람들이 술을 마실 때 잔을 부딪치며 환호를 하는 건배의 풍습이 우리에게 전해진 것으로 알려져 있다. 한자로 풀어보면 마를 건(乾) 잔 배(盃) 즉 잔을 비운다는 뜻으로 맨 처음 건배한 술은 무조건 원 샷이라고 알고 있는 것과 같다. 그래서인지 특정된 건배 사가 없던 우리는 모임의 연장자 또는 최고 책임자가 모임의 성격에 알맞은 덕담을 건배 사로 하는 것이 일반화 되어 있고, 중요한 모임에서는 건배 사를 미리 준비하는 경우도 있다고 한다. 요즘 젊은 세대들 사이에는 짧고 명쾌하면서도 센스 있는 건배 사가 유행되고 있다.

* 개나발; 개인과 나라의 발전을 위하여

* 미사일; 미래를 위하여, 사랑을 위하여, 일을 위하여

* 당나귀; 당신과 나의 귀한 만남을 위하여

* 재건축; 재미있고 건강하게 축복받으며 삽시다

* 적반하장; 적당한 반주는 하느님도 장려한다

* 이기자; 이런 기회를 자주 만들자

상상을 초월하는 기발한 건배 사 몇 개를 유튜브에서 옮겨보았다. 어찌 보면 유치한 것 같아도 나름대로 시대의 사회상을 느낄 수 있고, 건배 사가 차지하는 의미가 술자리에 서먹함과 어색한 분위기를 부드럽게 만들어주는 촉매제가 아닐까 한다.

"건배를 하면서 술잔을 '쨍'하고 부딪치는 이유를 아십니까? 눈은 술을 보고, 코는 향기를 느끼고, 입은 마시지만 아무것도 느끼지 못하는 귀를 위해서라고 합니다. 자! 귀를 위하여!" 술 좌석에서는 누가 시키지 않아도 앞장서서 분위기를 리드해 나가는 사람이 반드시 있게 마련이다.

"술은 어른들 앞에서 배워야 한다"고 옛날 어르신들 말씀이 있듯이 술자리에서 예절을 지켜야 하는 우리의 술 문화가 있다. 술자리에 앉을 때 입구에서 가장 멀리 떨어져서 벽을 등지고 앉아서 출입문을 바라 볼 수 있는 중앙좌석이 가장 어른이 앉는 상석이 된다. 술을 따를 때는 아래 사람이 가장 윗사람에게 잔을 먼저 올리는 것이 예의이므로 "제가 먼저 잔을 올려도 되겠습니까?"라고 여쭤 본 후에 술잔의 70-80% 정도로 채우는 게 좋다. 잔을 부딪칠 때 잔의 높이는 윗사람보다 낮게 하여 부딪히는 것이 예의이고, 술자리가 끝나는 과정에서는 웃어른이 떠나는 것을 지켜본 후에 자리를 뜨는 것이 좋다. 시대가 변하여도 조상으로부터 이어져 내려오는 아름다운 문화는 오래 오래 이어져 갔으면 좋겠다.

고령 운전자 면허증

자동차 운전면허증을 취득한 후 10년이 지나면 면허증을 갱신하도록 법으로 제정되어있다. 그 동안 10년이란 짧지 않은 기간이라 면허증 갱신에 큰 부담을 모르고 지냈는데, 65세가 되면서 갱신 기간이 5년으로 단축되면서 왠지 늙은이가 되었다는 기분이 들었다. 그런데 2019년부터 75세가 넘는 고령 운전자에 대하여 갱신기간이 3년으로 단축되었다.

그 동안 운전을 차분하게 한다는 소리를 들을 만큼 과격한 운전을 하지 않고 30년을 무사고로 지내왔다. 하지만 나이가 들고 보니 내 스스로 신체의 민첩성이 떨어지는 것을 느끼게 되었고, 특히 시력이 감퇴되어 신호등의 좌회전 화살표가 잘 보이지 않아서 운전의 불편함을 느끼게 되어 75세가 되던 해에 운전에서 손을 떼었다.

섭섭하기도 하였지만 운전석에 앉아서 핸들을 잡을 때마다 안전운전이라는 압박감에서 해방되었다는 안도감이 마음을 편안하게 해 주었다. 그 사이에 면허증 갱신기간이 돌아왔다. '어떻게 할까? 운전도 하지 않는데 운전면허증을 갱신할 필요가 있을까? 정부에서는 고령운전자의 교통사고를 줄이기 위한 정책으로 운전면허증 반납 지원제도를 시행하고, 자진 반납을 할 경우에는 10만원 상당의 교통카드를 지급 한다는데 이번 기회에 면허증을 반납하는 것이 어떨까?'

한 동안 고심을 하다가 세상을 살다 보면 예상치 않은 긴박한 일이 발생되어 급하게 운전이 필요한 경우도 있을 수 있고, 여행을 떠나서 렌터카를 운전 할 수도 있을 때를 대비하여 육체적으로 활동이 가능한 동안에는 면허증을 소지하는 것이 필요할 것 같아서 운전면허증 갱신을 하기로 하였다.

면허증 갱신을 하기 위해서는 제일 먼저 '치매검사'를 받아야 한다. 노인성 치매는 평균적으로 65세 이후로 발생하는 경우가 많기 때문에 고령 운전자는 필수적으로 치매검사를 받아야 한다는 것이다. 보건소 치매안심센터에 전화 문의를 하였더니, 근무시간 내에 언제든지 검사가 가능하다고 하여 바로 치매센터로 향했다. 직원들이 친절하게 안내를 해주어 편안한 마음으로 검사를 받았는데, 별것도 아닌 쉬운 문제에도 제법 긴장되었다. 치매검사 결과는 컴퓨터에 입력되어 검사 확인서가 없어도 면허 시험장에서 인터넷 검색으로 확인이 된다니 편리한 세상이다.

사전에 예약한 날짜에 적성 검사를 받으러 갔다. 교육장에는 많은 노인들이 대기하고 있었다. 모두 75세가 넘은 노인들 이지만 젊은이

못지않게 건강해 보이는 노인이 있는가 하면, 운전을 하기에는 힘들지 않을까? 하는 연로한 노인도 눈에 띄었다. 교육은 인지지능 검사와 교통안전교육으로 나뉘어 2시간 교육을 받은 후에 운전면허증을 교부 받았다. 면허증 유효기간이 3년이다.

이 제도는 전문가의 연구결과에 의해서 결정되었겠지만 여기에 문제점도 있다는 생각이 든다. 영업용 운전을 하시는 분들은 연령 제한이 없다 보니, 더 이상 운전을 하면 안 될 정도로 연로한 고령 운전자는 제도적으로 연령 제한이 필요할 것 같다. 오랫동안 운전한 경력이 있어서 노련하다고 볼 수도 있겠지만, 나이가 들면 자신의 생각과는 다르게 신체의 기능과 인지 능력이 저하되어 장애물에 대한 빠른 대처가 어렵기 때문에 교통사고 발생의 위험이 높아질 수 있다. 본인은 물론이고 다른 사람의 생명을 책임지는 영업용 택시 운전자는 일정한 나이를 정하여 고령 운전으로 발생 될 수 있는 사고를 사전에 방지하는 것이 옳을 것 같다.

뻥튀기 할배

아파트나 오피스텔 분양 광고지를 살펴보면 지하철 역에서 가깝고 종합병원이 멀지 않으며, 근처에 은행과 우체국 등 편의 시설이 많아서 생활하기 편리한 위치에 주변 상권이 잘 형성된 곳이라고 선전하는 것을 쉽게 접할 수 있다.

이것이 모두 사실이라면 살기 좋은 곳임에 틀림없다. 그런데 지금 살고 있는 우리 집이 바로 이런 곳이다. 지하철역이 불과 300m 거리에 있고, 지하철 두 정거장에 우리나라 최고의 대학 병원이 있으며, 은행과 우체국이 가깝게 있으니 분양 광고지와 딱 들어맞는 곳이다. 더구나 광고지에 없는 체육공원이 근처에 있어서 젊은이들은 조기축구를 즐길 수 있고, 노인들은 탄력이 있는 트랙에서 쉽게 걷기운동을 할 수 있으며, 유명 백화점이 가까이 있어서 쇼핑과 영화를 쉽게 활용 할 수가 있다. 이렇게 살기 좋은 곳에서 길 건너 아파트에 딸이 살고, 늙은이 걸음으로 10분 거리에 아들이 살고 있으니, 이 보다 좋은 곳은 어디에서도 찾기 어려울 정도로 만족한 곳이다.

그런데, 이사 온지 얼마 되지 않아서 엉뚱하게도 뻥튀기 할배 때문에 기분 상하는 일이 있고부터 세상에 만족이란 없다는 것을 알게 되었다. 사건의 발단은 이렇다. 우리 집은 오래 전부터 견과류를 먹고 있는데 서리태를 튀겨서 땅콩, 호두와 함께 매일 아침에 먹어왔고, 근래에는 아몬드, 브라질넛, 피간, 캣슈넛, 피스타치오 등 이름조차 생소한 외국산 견과류와 섞어서 먹고 있다. 서리태는 한 번 튀기면 대략 2개월 정도 먹기 때문에 늘 정기적으로 뻥튀기를 튀겨왔다.

이사 오기 전에 살았던 춘천에서는 5일마다 열리는 풍물시장에서 한 번에 2kg씩 튀겼기 때문에 이 곳에서도 당연히 똑같을 것이라는 생각으로 2kg를 가지고 갔더니 "서리태 1.8kg라고 써 붙여놨는데 2kg를 가져왔느냐!"고 나무라는 듯한 어조로 말하는 것이었다. "새로 이사를 와서 몰랐다"고 말은 했지만 기분이 별로 좋지 않아서 "먼저 살던 곳에서는 2kg씩 튀겼는데 여기서는 왜 1.8kg냐?"고 물었더니, "이곳에서 뻥튀기를 튀긴지 20년이 넘었는데 그 사람들이 몰라서 그렇다며, 내가 튀긴 것은 맛부터 다르다"고 자부심이 대단했다. 맛부터 다르다니 할 말이 없어서 조용히 기다리다가 튀겨진 콩과 남은 콩을 가지고 돌아왔다.

집에 돌아와서 아내에게 방금 전에 있었던 이야기를 하며 "오늘 튀긴 서리태는 맛이 다르다는데 얼마나 맛있는지 먹어 보라"고 하였다. "콩 튀긴 것이 다 똑같은 맛이지 뭐가 다르냐?"며 아내의 대답이 시큰

둥했다. 내 입맛에도 아내의 말처럼 별다른 맛을 느낄 수 없었다.

두 달 정도 되어서 다시 서리태를 튀기는 날이 왔다. 뻥튀기 할배 한테 또 다시 싫은 소리를 듣지 않으려고 정확하게 1.8kg를 달아 가지고 갔다. 할배는 서리태를 깡통에 받아 넣으면서 "너무 많이 가져왔다"며 조금 남기는 것이었다. "제가 정확하게 1,8kg를 달아서 가지고 왔는데 왜 남기느냐?"고 하였더니, "너무 많이 넣으면 골고루 튀겨지지 않는다"는 것이다.

다른 곳에서는 2kg씩 튀겨도 맛이 좋은데 이 할배가 왜 이러는지 이해를 할 수가 없고, 바보 취급을 받은 것 같아서 "골고루 안 튀겨져도 좋으니까 다 넣고 튀겨 달라"고 하였더니, 자기는 그렇게 튀기지 않으니까 다른데 가서 튀기라는 것이었다. 어이가 없지만 더 이상 뭐라고 하였다가는 일이 더 커 질 것 같아서 "알겠으니까 맛있게 튀겨 주세요" 하고는 밖으로 나와서 서성거리며 기다리다가 튀겨진 서리태를 가지고 오는데 너무 속이 상했다. 한마디로 독점 장사꾼의 횡포인 것이다. 정말 딴 곳에 튀길 곳이 있으면 다시 오고 싶지 않은 기분이었다.

그 일 이후 얼마인가 시간이 지나갔다. 너무 속상해 하는 것이 안 되어서 하늘이 도와주셨는지 집 앞 사거리에 뻥튀기 기계를 싣고 다니며 뻥튀기를 해 주는 트럭이 나타난 것이다. 너무 반가워서 매일 올 것이냐고 물으니, 매주 목요일 오후에 올 것이라고 한다. 뻥튀기 아재는 인상도 좋다. "서리태는 몇 kg를 가져오면 되느냐?"고 물었더니, 2kg 가져오면 된다고 한다. 맛없이 튀겨진다고 해도 속이 후련하다. 이제는 독불장군 뻥튀기 할배에게 싫은 소리를 듣지 않게 되어 정말 다행이다.

졸업식 유감

손녀의 중학교 졸업식에 다녀왔다. 늙은이가 가봐야 아이들한테 거추장스러울 것 같아서 안 가겠다고 하였지만, 기념사진 한 장이라도 남기는 것이 좋겠다며 아들이 모시러 온 것이다. 학교에 도착하니 당연히 교문에 걸려있어야 할 졸업식 기념 현수막이 없다. 허례허식이라는 이유 때문일까? 그래도 왠지 성의가 없어 보여서 섭섭한 기분이 든다.

교문을 들어섰다. 졸업식장 안내표지판이 눈에 띄지 않는다. 많은 사람들이 걸어가는 뒤를 따라서 강당 건물로 들어갔다. 1층에는 학부모들이 앉아서 무대 위에 설치된 스크린으로 2층 체육관에서 거행하는 졸업식을 지켜 보고 있었다.

좌석은 이미 만석이 되어 통로 한쪽 벽에 기대어 서서 스크린 속에 졸업식을 바라 보며, 졸업식 안내 프로그램을 펴보았다. 조금 늦게 도착하였기 때문에 오케스트라 축하 공연과 졸업생 3년 활동 동영상이 1부에서 끝났고, 2부가 시작되면서 국민의례와 내빈소개를 마치고 교장

선생님의 축사가 진행되는 중이었지만 시끌시끌한 식장 분위기에 무슨 말을 하시는지 하나도 알아듣지 못한 채 지나갔다. 1년 동안 수고한 전교 학생 회장과 부회장에게 공로상이 시상되었고, 이어서 졸업생 중에서 모범 학생 한 명에게 표창장을 수여하는 순서가 되었다.

사회자가 호명을 하자 추리닝 하의에 파카코트를 입고 단상에 오르는 남학생을 보는 순간 '아무리 교복 자율화가 되었어도 교복을 단정하게 입고 수상을 했으면 얼마나 좋았을까?' 더구나 졸업생 전체를 대표하는 모범 학생에게 주는 상이였기에 더욱 아쉬운 마음이 든다.

모든 순서가 끝나고 지난 학기 교내 경연대회에서 최우수상과 우수상을 받은 두 팀의 축하 공연이 시작 되었다. 먼저 우수상을 받은 팀의 공연이 시작되었다. 경쾌한 아이돌 노래에 맞춰 춤을 추는 모습은 옛날 졸업식에서 볼 수 없던 광경이다. 아이돌 그룹 BTS의 노래가 미국 빌보드 차트 1위에 오르면서 K-POP이 세계무대로 넓혀가고 있는 세상이니까 이런 노래를 부르는 것이 요즘 추세겠지만, 한 곡이 끝나고 두 번째 노래가 시작 되면서 내 귀를 의심하였다.

"한 잔해 한 잔해 한 잔해/ 갈 때까지 달려봐 한 잔해 (중략)
월요일은 원래 먹는 날/ 화요일은 화가 나니까/ 숙취에 한 잔/
목이 말라 한 잔/ 금요일은 불금이니까/ 밤새도록 한 잔 어때요"

코믹한 가사와 경쾌한 리듬의 이 노래는 특전사 출신 신인 가수가 불러서 히트한 인기 곡으로 알고 있다. 초등학교 졸업식에 갔을 때 졸업식 노래는 부르지 않고 015B라는 가수가 부른 '이젠 안녕'이라는 노래를 합창하여서 황당했던 경험을 했는데, 삼 년이 지난 오늘은 어린 중학생들이 밤새도록 술을 마시자고 신나게 노래 부르는 모습은 나이든 늙은이로서 심기가 불편 할 수 밖에 없다.

그런데 더욱 기가 찬 일이 있었다. 졸업식을 마치고 점심 식사를 하는 자리에서 오늘 황당하게 느꼈던 졸업식 유감을 말하였더니, 아들이 한 마디 한다. "아버지! 세상이 변하였습니다. 이해를 하셔야죠!"

맞는 말이다. 십 년이면 강산도 변한다고 했는데, 팔십 년이나 살았으니 이해 못하는 것은 당연하다. 하지만 이제 겨우 중학교를 마치는 학생들이 졸업식 행사장에서 한잔 하자는 노래를 부르고, 춤을 추는 것은 아무리 좋게 봐 주려고 해도 이해를 할 수가 없다.

세상이 변하여도 지켜야 할 기본은 지켜야 하는데, 이들을 이해하지 못하는 나는 별 수 없이 시대에 뒤떨어지는 꼰대인가 보다.

생 일

생일이면 제일 먼저 떠오르는 것이 미역국이다. 미역국은 말린 미역을 물에 불린 뒤에 소고기나 해산물을 넣고 끓인 국으로 산모의 산후조리 음식으로 이용되고 생일을 상징하는 음식이다. 우리나라 산모들이 예전부터 먹어 온 미역에는 철분, 칼슘, 요오드 성분이 풍부하여 출산을 한 산모의 지혈 작용을 도우며, 몸 속에 쌓인 노폐물을 배출하고, 피를 맑게 해 준다고 알려져 있어서 삼칠일 동안 하루 세끼 미역국을 먹는 관습이 이어져오고 있다.

미역은 우리 식생활에서 없어서는 안될 만큼 밀접한 관계이다 보니, 다 큰 자식이 객지에 나가서 떨어져 살다 보면 밥이나 제대로 먹고 다니는지 걱정을 하고, 생일 날이면 미역국이나 끓여 먹었는지 걱정하는 것이 부모의 마음이다.

아내는 아이들 생일이면 하얀 쌀밥에 양지머리고기를 넣어서 미역국을 끓이고, 백설기와 수수 경단을 만들어 생일상을 차려 주었다. 멥쌀가루에 설탕이나 꿀을 내려 시루에 안쳐서 찌는 가장 기본이 되는 시루떡의 종류로 흰 눈과 같이 하얗다는 의미의 백설기는 아이들의 백일이나 첫 돌에는 반듯이 먹는 떡이었다. 수수경단은 수수와 팥 고물의 붉은 색이 사악한 귀신을 물리치고 액운을 막아주어 아이들이 건강하게 자라준다고 전해지고 있어 아이들이 열 살이 될 때까지 만들어 주었다. 아이들이 커지면 백설기와 수수경단 대신에 인절미를 만들어 주었는데, 인절미는 잘 불린 찹쌀을 쪄서 안 반이나 절구에 넣고 떡메로 친 다음 네모나게 썰어서 콩가루 고물로 묻히는데, 팥이나 녹두를 쪄서 얼레미에 내린 팥고물이나 녹두고물을 묻히거나 검정 깨를 묻히기도 한다.

지금에 와서 인절미는 한국을 대표하는 떡으로 자리를 잡고 있는데, 요즘에는 복잡한 전통방식에서 벗어나 찹쌀가루를 찜기에서 쪄내어 고물을 묻히는 새로운 방법으로 만들기도 한다.

우리의 어머니들은 어려운 살림에서도 자식들의 생일이면 정성을 다해서 손수 생일상을 차려주셨지만, 요즈음 젊은 엄마들은 생일케이크에 촛불을 켜고 생일 축하 노래를 부르고 선물을 주면서 생일잔치를 하고, 유치원이나 초등학교 때는 아이들 친구를 초대하여 그들이 좋아하는 피자나 치킨 같은 음식을 배달시켜 놓고 생일 파티를 열어주기도 한다.

지난 번 내 생일에는 일식당에서 잔치를 벌였는데, 음식이 깨끗하고 깔끔하며 맛도 있었지만 생일 모임이라고 미리 예약을 해 두어서 별도의 유기그릇에 하얀 쌀밥과 미역국에 세가지 반찬이 담긴 소꿉장난 같은 생일상을 나에게만 마련해 주고, 생선회로 만든 케이크와 즉석 사진 액자까지 만들어주는 서비스를 받았다. 집에서 힘들게 음식상을 차리는 것보다 맛도 있고 힘도 들지 않아서 합리적인 것 같아서 "앞으로 생일은 외식으로 하는 것이 좋겠다"고 하였더니, 아이들은 너무 좋다고 박수를 치는 것이다. 세상이 변하는 만큼 늙은이들의 사고방식도 변하는 것이 함께 살아가는 주위 사람들에게 스트레스를 주지 않는 하나의 방법이다.

어제는 우리 아들 46번째 생일이었다. 아내는 정육점에서 갈비를 사다가 구석구석에 붙어있는 기름덩어리를 일일이 떼어버린 뒤 갈비찜을 만들고, 인절미를 만들고, 도토리 묵을 쑤었다. "당신 나이도 팔순이 다되어가면서 힘에 부치는데, 며늘아기가 알아서 챙겨 줄 것이니 이제는 생일음식 만들어주는 것은 그만 하라"고 해도, "아들은 엄마가 만든 음식을 제일 좋아하니까 생일상을 크게 차려주지는 못하더라도 몸을 움직일 수 있는 날까지 좋아하는 음식 몇 가지는 만들어 주겠다"는 것이다. 아무리 세상이 변하여 생일상 차림의 방법은 변하였지만 생일은 우리가 살아가는 삶에 일 부분인 것이 틀림없다.

음 주 운 전

아침 뉴스 시간에 보도된 내용이다. 서울중앙지법 형사4단독에서 23년 4월 5일 도로교통법 위반(음주운전) 등 혐의로 기소된 영화배우 김OO씨에게 벌금 2천만원을 구형했다.

김씨는 지난 해 5월 서울 강남구 청담동 근처에서 술에 취해 운전하다가 가드레일과 가로수를 여러 차례 들이받았다. 이 과정에서 변압기를 들이받아 주변 상점 57곳에 전기 공급이 3시간가량 끊겼다. 사고 당시 김씨의 혈중 알코올농도는 면허 취소 기준을 크게 웃도는 0.2% 이상으로 측정됐다. 재판부는 "음주 운전은 타인의 생명과 신체, 재산에 심각한 피해를 가져올 수 있는 범죄로 엄벌할 필요가 있다"면 서도 "피고인이 잘못을 인정하고 피해의 대부분을 원상회복 시켰다는 점을 고려했다"고 판결 이유를 설명했다.

이 같은 음주운전 사건이 심심치 않게 뉴스시간에 보도 되면서 사회의 큰 이슈로 떠오르지만 음주운전이 사라지지 않는 이유가 무엇일까?

많은 운전자들은 '음주운전은 하지 말아야 한다'는 것을 당연하게 받아들이지만 소주 한 잔이나 맥주 한 캔 정도 마신 상태보다 조금 알딸딸한 기분이라고 느끼기 때문에 운전대를 쉽게 잡게 되며, 자신의 주취 정도를 제대로 파악하지 못하고 기분이 업 되어 자신의 운전 능력을 과신하는 것이 음주운전의 원인 중에 하나라고 한다. 음주운전은 당연히 사고 발생률이 높아질 수 있으며, 음주운전으로 인한 사고는 일반교통사고에 비하여 사망률이 높아서 졸음운전보다 위험도가 높다고 한다.

인도네시아에 근무 할 때 있었던 일이다. 그 나라는 국민의 80%이상이 이슬람교를 믿는 종교 국가여서 술에 대하여 매우 민감하고, 그들을 상대로 하는 주점은 당연히 없으며, 일반슈퍼에서도 알콜 농도 5% 이상의 술은 판매하지 못하도록 규정되어 있다 보니 음주운전은 단속 자체가 없다.

외국인을 상대로 술을 취급하는 곳은 있지만 일년 내내 계속되는 무더운 날씨에 과음을 하면 다음 날 출근에 큰 지장을 줄 만큼 취기가 빨리 오기 때문에 직원들과 회식을 하더라도 적당한 선에서 마무리를 한다.

언젠가 서울 본사에서 새로 부임한 직원이 이 나라에는 음주단속이 없다는 소리를 듣고 쾌재를 부르더니, 어느 정도 생활에 익숙해지자 주말이면 기숙사에서 식사를 하지 않고 회사 차를 운전하여 자카르타 시내로 나가서 놀다가 늦은 시간에 돌아오곤 했었다.

아무리 술 문화가 없는 나라지만 한국인 음식점에서 술을 팔기 때문에 이 친구에게 몇 차례나 주의를 주었지만, 휴가 차 서울에 있는 동안 다른 회사에 근무하는 친구들과 저녁 식사를 한 후 가라오케에서 놀다가 돌아오는 길에 가로수를 들이받아 앞니 4개가 부러지는 큰 사고를 낸 일이 있었다. 보험이 없는 나라에서 치료를 하느라고 큰 돈을 날렸지만 인사 사고가 없었던 것이 천만다행이었다.

음주운전을 방지할 수는 없을까? 우리나라 교통법에 음주운전을 처벌하는 규정이 지나치게 약하다는 것이 나의 소견이다. 왜 음주운전을 하게 되었는지 그 이유를 따질 필요가 없다. 음주운전은 살인행위에 해당하는 법을 적용하고 사고를 내지 않았어도 운전한 사실만으로 살인미수로 처벌하면서, 면허증은 평생 재 취득을 할 수 없도록 취소시키고, 사고를 냈을 경우에는 살인 죄를 적용하여 엄격하게 처벌한다면 음주운전은 자연히 사라질 것이다. 살인자에게 인권을 인정해서는 안 된다. 어린 초등학생이 스쿨 존에서 희생되고, 오토바이를 타고 자장면을 배달하던 젊은이가 음주운전자에게 희생되는 안타까운 현실이 더 이상 계속되어서는 안 된다.

연말연시에 일정한 기간을 정하여 특별 단속 같은 것을 할 필요가 없다. 처벌 규정이 강력하면 살인자가 되고 평생 면허증을 발급받지 못 하는데, 음주운전을 하겠다는 사람은 없을 것이다.

"소주 한 잔이나 맥주 한 캔을 마셨다면 절대로 운전대를 잡으면 안 된다. 음주운전은 살인행위와 같기 때문이다.”

다섯 자 일곱 치

코로나로 2년 넘게 쉬었다가 드디어 복지관 아카데미에서 오카리나 개강을 하는 날이었다. 너무 일찍 도착하여 텅 빈 교실에 들어서면서 여느 때와 같이 오른쪽 맨 뒷줄에 자리를 잡았다. 수업이 시작되면서 선생님께서는 자리 정리를 하신 다며, 뒤쪽에 계신 분들은 앞쪽으로 옮겨 앉으라고 하셨다.

나는 이 자리가 좋다고 그냥 앉아 있었다. 선생님께는 죄송하지만 어떤 모임에서도 뒷자리에 앉아왔기 때문이고, 뒷자리를 고집하게 된 것은 오래 동안 뒷자리에만 앉아왔던 것이 습관처럼 몸에 배었기 때문인 것 같다.

나는 어렸을 때부터 또래 아이들보다 키가 한 뼘 이상 커서 초등학교 때부터 중, 고등학교를 졸업할 때까지 늘 뒷자리만 앉다 보니, 어쩌다가 앞 자리에 앉게 될 경우에는 왠지 불편하고 집중이 잘 되지 않는다.

살아오면서 키가 커서 불편함을 느끼거나 피해를 본적은 없었지만 젊어서 직장 생활을 할 때 모시던 부장님의 키가 유난히 작아서 발생했던 에피소드가 있다.

어느 날 부장님을 모시고 거래처를 방문한 적이 있었다. 비서의 안내를 받아 접견실 소파에 앉아서 사장님을 기다리고 있는데, 잠시 후 문이 열리면서 들어선 사장님은 "어이구! 부장님 처음 뵙겠습니다" 하시며 키가 큰 나를 부장으로 생각하셨는지 악수를 청하는 바람에 어찌나 당황하였는지 허겁지겁 옆에 계신 키 작은 부장님을 소개한 적이 있었다. 그 후 부장님과 함께 길을 걷거나 옆에 서 있게 되었을 경우에는 의식적으로 거리를 두곤 하였지만, 작은 키로 인해서 콤플렉스를 느끼시던 부장님을 생각하면 키가 큰 것이 낫다는 생각이 든다.

최근에 새로 이사한 아파트에서 재활용품 배출을 하는 날, 분리작업을 돕던 경비 아저씨가 처음 보는 나를 보며 "어르신! 참으로 기골이 장대(氣骨壯大)하시네요"라고 한다. "제가 그렇게 커 보이나요?" 평소에 키가 크다는 소리를 자주 들어 왔기에 대수롭지 않게 대답을 하고 집에 돌아와서 "경비아저씨가 나를 보더니 기골이 장대하다"고 했다니까 아내는 재미있다고 웃는다.

요즘 젊은이들 중에는 180cm를 넘는 장신들이 눈에 띄게 많다. C방송국 오디션으로 탄생하여 인기를 누리고 있는 트로트 탑7의 키는 모두 175cm를 넘고, 별로 커 보이지 않는 이찬원씨도 나 보다 키가 크지만 그를 보고 키가 크다고 말하는 사람은 아무도 없다.

고전 문헌을 보면 6척 장신이라는 말이 나온다. 지금으로 치면 대략 180cm 정도인데 옛날 남자의 평균키가 160cm가 안 되었던 것을 감안하면 굉장히 크겠지만, 나의 키는 겨우 5자 7치에 불과한 것이다. 내가 5자 7치라는 숫자를 잊지 않고 기억하는 것은 대학 다닐 때 초등학생 산수 그룹 과외 지도를 하던 중에 내 키와 똑같은 '174cm 남자의 키는 몇 자 몇 치인가요?'하는 문제가 있었고, 정답은 '5자 7치 4푼'이었기 때문이다.

2022년 국가기술표준원 자료에 의하면 우리나라의 성인 남자 평균키가 172.5cm로 발표되었고, 2020년도 영국의 일피리얼 런던대학(Imperial College London) 연구팀이 세계 청소년의 평균 키를 조사 발표한 자료에 의하면 우리나라 19세 남자 청소년의 키가 175.5cm로 세계에서 가장 큰 폭으로 평균 키가 증가한 국가 1위 중국, 2위 우리나라로 발표되었다.

세상에는 키가 큰 사람도 많고, 키가 작은 사람도 많다. 키가 큰 사람은 조금만 작았으면 좋겠다 하고, 키가 작은 사람은 조금만 컸으면 좋겠다고 자기 키에 만족하지 못하는 사람들이 제법 많다. 내가 남달리 상반신보다 하반신이 길어서 유난히 커 보이기 때문에 키가 크다는 소리를 듣지만 주변 사람들이 아무리 뭐라 하여도 우리나라 성인 남자 평균 키 보다 1.5cm 크고, 19세 청소년 평균 키 보다는 1.5cm 작은 키 5자 7치가 나는 좋다.

제 2 부 얘들아 밥 먹어라!

바나나 이야기

우리 큰 아이가 유치원 다닐 때이다. 퇴근시간 무렵 아내로부터 전화가 왔다. 요즘처럼 핸드폰이 없던 시절이어서 전화 연락은 사무실 전화를 이용하였는데, 특별한 일이 아니면 전화를 하지 않는 편이라 집에서 전화가 오면 덜컥 겁부터 났다.

둘째 건이가 열이 나고 목이 아프다고 해서 소아과에 갔는데, 감기라고 해서 주사 한 대 맞고 약을 받아왔지만 아무것도 먹지 않고 누워있으니까 들어오는 길에 바나나 2개만 사오라는 것이다.

지금은 수입 자유화가 되어서 바나나, 오렌지, 아보카도, 망고, 파인애플, 키위, 체리를 비롯하여 레드 글로브, 탐슨 시들리스 같이 이름조차 생소한 외국산 과일들이 국내산 과일 못지않게 판매되고 있지만, 그 당시에만 해도 외국산 과일은 구경하기 어렵고, 바나나만 하여도 가게마다 한두 송이를 줄에 매달아 놓고 한 개씩 떼어서 판매하는 값비싼 과일이어서 아이들의 생일이나 아플 때 주로 사다 주곤 하였다. 그렇게 귀한 대접을 받던 바나나가 요즘에는 마트에서 세일 행사를 할 때 미끼상품으로 제일 먼저 등장하는 값싼 과일이 되어버렸다.

지금도 우리 아이들은 바나나를 먹을 때면 어렸을 적에 아파서 누워 있을 때 아버지가 사다 주던 바나나가 왜 그렇게 맛있었는지 모르겠다고 가끔씩 이야기를 한다.

바나나는 높이가 3m이상 되는 나무에서 열린다. 아니다, 정확히 말하면 바나나는 나무에서 열리는 것이 아니라 풀에서 열린다. 바나나 농장에서는 바나나를 수확한 나무는 바로 베어버린다. 한번 열린 바나나 나무에는 다시 열리지 않기 때문에 '여러 해 살이 풀'인 것이다.

바나나는 보통 생으로 먹지만 샐러드 디저트에 첨가하거나 과자, 음료 같은 가공식품으로도 이용되는데, 인도네시아에서는 우리의 핫바처럼 바나나를 꼬치에 끼워 밀가루를 씌워서 기름에 튀겨낸 비상고랭(Pisang Goreng)이라는 바나나 튀김이 국민 간식이라 할 정도로 길거리 음식으로 유명하다.

인도네시아에 근무한지 얼마 되지 않았을 때 이야기이다. 어느 일요일에 현지인 기사를 데리고 재래시장 구경을 나갔다. 동그랗게 생긴 초록색 가지와 30~40cm의 줄기 콩을 비롯해서 우리의 야채와는 생김새가 전혀 다른 채소들을 구경하고, 세상에서 제일 큰 과일이라는 짹후르츠와 냄새가 지독하게 역겨워서 처음 먹는 사람은 쉽게 먹지를 못한다는 두리안을 비롯하여, 과일의 여왕이라는 망고스틴 같은 과일을 구경하다가 길이가 짧고 통통한 바나나 한 다발을 사가지고 차에 올랐다.

현지인 운전 기사가 이 바나나를 왜 샀느냐고 물었다. 모양새가 달라서 먹어보려고 샀다니까 이 바나나는 새나 원숭이 같은 동물의 먹이로 쓰이는 바나나이기 때문에 사람은 먹지 못한다는 것이다. '세상에 먹지 못하는 바나나가 어디 있겠어!' 공연한 오기와 호기심으로 한 개를 떼어내서 껍질을 벗기고 한 입 베어 물었다. "앗!" 바나나 속에는 돌덩이 같이 딱딱한 씨가 촘촘하게 들어차 있어서 하마터면 이빨을 상할 뻔 하였다. 운전 기사가 애처로운 표정으로 처다 보면서 빙그레 웃는다.

바나나는 기원전부터 말레이 반도를 비롯한 동남아 지역에서 재배하기 시작하여 전 세계로 퍼져나갔다고 하는데, 그 당시에는 뿌리를 먹기 위하여 경작을 하다가 씨 없는 돌연변이 열매가 나타나면서 오늘날의 바나나가 정착되었다고 한다.

지금도 밀림 숲 속에는 야생 바나나가 많이 자생하고 있어서 그 열매를 따다가 가축이나 새들의 먹이로 판매한다. 이런 바나나를 먹어보겠다고 샀으니 모르면 바보가 되는 것은 당연한 것 같다.

라 이 벌

라이벌은 같은 목적을 가졌거나 같은 분야에서 일하면서 앞서거나 이기려고 서로 겨루는 맞수를 말한다. 우리 주변에서 맞수라고 하면 고려대와 연세대의 연고 전 또는 고연 전이 제일 먼저 떠오르는데, 두 대학의 일제강점기 때인 보성전문학교와 연희전문학교 시절부터 라이벌 경기로 이어져 내려오는 전통 깊은 행사이다.

세계적인 경기로는 미국의 하버드대의 크림슨(Harvard Crimson)과 예일대의 블독스(Yale Bulldogs)간의 미식축구경기가 세계 최고의 라이벌 경기로 알려져 있으며, 영국의 옥스퍼드대와 케임브리지대가 매년 개최하는 조정경기는 BBC가 생중계를 할 정도로 주목 받는 경기이다.

라이벌 경쟁은 70년도 가요계의 남진과 나훈아의 라이벌도 유명하다. 춤과 노래로 한국의 엘비스프레슬리로 불리면서 오빠부대의 원조인 남진과 특유한 꺾기와 매력적인 저음의 개성 있는 목소리 나훈아의 인기는 언론에서도 두 사람을 라이벌로 인정하고, 사소한 것까지 신경전을 버릴 만큼 민감하였다.

이들 보다 훨씬 전에 김지미와 최은희의 라이벌도 영화계에서 대단하였다. 1960년대 신상옥 감독이 제작한 아내 최은희 주연의 '성춘향'과 홍진기 감독이 제작한 아내 김지미 주연의 '춘향전'이 동시에 개봉하면서 두 영화의 라이벌 전은 큰 이슈가 되어 매일 입장객 숫자가 뉴스로 보도되기도 하였다. 결과는 최은희의 승리로 끝났지만 이 같은 라이벌은 영화계의 발전에 큰 도움이 되었다고 한다.

스포츠나 연예계의 라이벌과는 또 다른 먹거리의 라이벌이 있다. 짜장면과 짬뽕의 라이벌이다. 우리들은 중국집에 가게 되면 주문을 하기 전에 짜장이냐? 짬뽕이냐?로 잠시 고민을 한다. 그렇다 보니 여러 명이 단체로 식사를 갔을 경우에 그 중 대표자가 "짜장면으로 통일하자!"고 하면 대부분의 사람들이 그렇게 하자고 찬성 하지만 "나는 짬뽕"을 고집하는 사람이 반드시 있어서 웃음을 자아내기도 한다.

그런데 중국에 없는 짜장면과 짬뽕을 우리들은 왜 좋아하는 것일까? 짜장면은 새까만 춘장에 양파와 감자를 넣고 돼지고기 기름으로 볶아낸 맛이 중국음식 특유의 느끼한 맛이 없어서 우리 입맛에 잘 맞았던 것 같고, 중국음식에서 느낄 수 없는 짬뽕의 매운 맛은 해산물로 우려낸 국물 맛이 우리 입 맛에 잘 맞았던 것 같다.

짜장면과 짬뽕 사이에서 '어떤 것을 먹을까?' 고민을 해결해 준 것이 짜장면과 짬뽕을 반반씩 담은 짬짜면이다. 이렇게 기막힌 아이디어로 라이벌 구도를 해결한 짬짜면의 반반 그릇을 고안해 내신 분은 아마 대박이 나지 않았을까?

그 외에 음식의 라이벌로 물냉면과 비빔냉면, 그리고 양념치킨과 후라이드 치킨이 있다. 이 두 가지 음식을 주문 할 때에도 어떤 것을 먹을까? 고민하게 만드는 음식이지만 후라이드 치킨과 양념치킨을 반반씩 포장한 반반 치킨이 등장하면서 짬짜면과 같이 고민을 해결하였다. 하지만 아직까지 해결의 기미가 보이지 않는 물냉면과 비빔냉면의 갈등은 영원히 해결할 수 없는 라이벌로 남을 것 같다.

라이벌이란 서로가 이기려고 하는 힘든 상대가 되기도 하지만 서로의 발전을 위해서 함께하는 필연적 동반자이기도 하다. 내일의 멋진 삶을 위하여 내 인생의 라이벌을 마음 속에 정하여 놓고, 열심히 살아가겠다는 계획을 한 번쯤 시도해 보는 것도 보람 있지 않을까?

나의 영면식(永眠式)

붓다가 왕자 시절에 동쪽 성문을 나섰다가 머리가 하얗고, 허리가 굽고, 얼굴이 주름투성이 노인을 만나면서 자신의 미래 모습을 상상하였고, 남쪽 성문 밖에서 병들어 신음하는 환자를 보았고, 서문 밖에서 화장터로 향하는 사자를 만나면서 사람은 결국 늙고 병들어서 죽음에 이르는 사실에 고민하다가 출가를 하게 되었다는 이야기는 불자가 아니라도 모두 알고 있는 이야기이다.

사람은 누구나 죽는다. 불로장생의 불로초를 구하려고 했던 진시황도 결국에는 죽었고, 북한 동포를 돕겠다고 당당하게 소떼를 몰고 평양에 갔던 현대의 정주영 회장도 죽었다.

죽음이란 병에 걸리거나 늙어서 나이 순으로 죽는 것이 아니라 도로를 달리던 자동차가 마트로 돌진하여 쇼핑하던 여인이 어처구니 없는 사고로 세상을 떠나는 사건이 발생하는 것처럼 언제든지 일상에서 일어 날 수 있는 자연스러운 삶의 일부분이다.

사람이 죽으면 장례식을 치른다. 장례식은 우리의 전통에 따라서 3

일장, 5일장, 7일장으로 치러지는데, 매장보다 화장을 더 많이 선호하는 요즘에는 화장장을 이용하는 수효가 급증하여서 원하는 장례 일정을 맞추기가 쉽지 않아 화장장의 형편에 맞추어 장례 일정을 정하기도 한다.

장례 절차도 예전에 비하여 많은 변화가 있었다. 얼마 전까지만 해도 사람이 밖에서 죽으면 객사라고 하여 병원에서 입원 치료를 받던 환자가 가능성이 없어지면 집으로 모시어 임종하도록 했으며, 장례를 알리는 부고장을 황색 봉투에 넣고 수신자의 이름을 붓으로 써서 발송하던 때가 있었다. 이러한 일들이 핸드폰 문자나 카톡으로 간단히 연락하게 되었고, 좁은 집에서 음식을 준비하고 조문객을 맞으며 장례를 치르던 것이 장례식장이 생기면서 음식부터 의전까지 전문가에 의해 고인의 종교의식에 따라 치러지면서 번거로움이 한결 수월하게 되었다.

영면(永眠)이라 함은 영원히 잠든다는 뜻으로 사람의 죽음을 이르는 말이다. 언젠가 인터넷에서 읽은 이야기이다. 일본의 대기업 CEO가 암 선고를 받고 "아직 건강할 때 여러분에게 감사의 마음을 전하고 싶다"는 내용의 신문광고를 낸 후에 도쿄의 한 호텔에서 '감사의 모임'이라는 이름으로 생전 영면 식을 치렀다는 내용이었다.

그가 생전에 영면 식을 하게 된 동기는 평생을 살아오면서 평소에 도움 받은 많은 분들에게 감사의 인사 한마디를 전하고 떠나는 것은 도리라고 생각했기 때문이라며, 휠체어에 앉아 테이블을 돌면서 1,000

명의 손님과 일일이 악수를 나누며 감사의 뜻을 전했다고 한다.

지난 주 대학 동기이며, 직장 생활까지 함께하여 남다르게 가깝던 친구가 폐암으로 죽었다는 연락을 받고 장례식장에 갔을 때, 상주는 물론이고 조문객 누구 하나 아는 얼굴이 없어서 어색하게 영정 앞에 분향만 하고 돌아온 적이 있었다. "정승 집 개가 죽으면 조문객이 몰려들지만, 정승이 죽으면 개 한 마리 얼씬하지 않는다"는 이야기가 실감나게 느껴졌다.

'그래! 나도 일본의 CEO같이 생전에 영면식을 하자!'

생전에 영면 식을 하면 죽은 뒤에 장례식장에서 몇 일씩 밤샘을 하며 조문객을 맞는 번거로움도 없고, 병원에서 바로 화장장으로 향할 수 있으니 바쁜 시대를 살아가는 여러 사람들을 편하게 해 줄 수 있을 것이다.

'생전에 영면식이라니...' 혹자는 말도 되지 않는 소리라고 하겠지만, 새로운 일에 도전하는 선구자는 반드시 욕을 먹게 마련이지만 생전 영면식이 정착된다면 매우 편리한 제도가 될 것이다.

'나의 영면 식은 언제 하는 것이 좋을까? 망구(望九)는 좀 이른 듯하고, 망백(望百)은 너무 늦지 않을까? 음식은 장례식장의 상징인 육개장으로 할까? 아니면 결혼식장 같이 뷔페로 할까? 프로그램 순서는 어떻게 짜고 진행은 누가하는 것이 좋을까? 단상 중앙에 영정 사진은 영상으로 대신하고, 평상시에 요리를 잘해서 아내가 좋아하는 가수 이찬원을 초대할 수 있으면 더욱 좋겠지?' 조용히 눈을 감고 그려보는 영면식장의 광경이 제법 그럴 듯 하다.

고구마 이야기

고구마의 원산지는 남아메리카이며, 우리나라에서 재배하기 시작한 것은 조선 후기 일본에 통신사로 갔던 조엄(趙曮)이 대마도에서 고구마 종자를 얻어와서 동래와 제주도에서 재배가 시작되었으며, 고구마라는 이름도 일본말 고귀위마(古貴爲麻)에서 유래되었다고 한다.

고구마는 탄수화물과 섬유질이 풍부하여 다이어트를 하는 여성들의 건강식으로 많이 사용되지만 먹거리가 귀하던 시절에는 밥 대신으로 먹었던 구황 작물이었고, 아이들 간식으로 크게 활용되었다.

겨울이 오면 길거리에 재빠르게 등장하였던 것이 군고구마 장수였다. 리어카에 드럼통을 개조하여 만든 통속에서 장작불로 구워낸 고구마는 두 손을 호호 불어가며 먹던 추억의 맛이었다. 그런데 요즘엔 군고구마 장수가 보이지 않는다. '왜 그럴까?'

얼마 전 모 방송국의 오디션에서 1등을 하여 최고의 인기를 누리고 있는 트롯트 가수 임영웅이 TV프로그램에 출연하여 무명시절에 군고구마 장수를 하였다고 밝혀서 화제가 되기도 하였는데 "장사는 잘 되었느냐?"는 사회자의 질문에 "고구마 두 개에 오천 원을 받다 보니, 지나가는 사람들 마다 비싸다고 그냥 가버리는 바람에 오래 하지 못하고 접었다"고 하였다.

이해가 가는 이야기다. 그 밖에 이유로는 먹거리가 다양해지면서 아이들이 고구마를 선호하지 않으며, 에어프라이어라는 새로운 조리기구가 보급되면서 집에서도 군고구마를 쉽게 만들 수 있는 것도 또 다른 원인이 될 수 있을 것 같다.

퇴직을 하고 잠시 시골에서 텃밭 농사를 지은 적이 있었다. 넓지 않은 밭에 파, 오이, 토마토, 상추, 비트, 콜라비 등 이런 저런 여러 종류의 채소를 맛보기로 조금씩 심고, 고구마는 손을 많이 타지 않기 때문에 초보 농사꾼이 농사 짓기 수월하다는 동네 어르신들의 말씀을 듣고 전체 밭의 절반 가까이 고구마를 심었다. 정말로 줄기가 뻗어가면서 잎이 무성하게 자라나서 풀을 뽑거나 김을 매지 않아도 되었다.

어느덧 수확 시기가 되면서 동네 A노인이 지나다가 이제 고구마는 수확해도 될 것 같으니까 고구마를 캐고 난 후에 줄기를 자기한테 달라고 하였다. 고구마 줄기는 소 먹이로 긴요하게 쓰이기 때문이었다. 나는 그렇게 하겠다고 쉽게 대답을 하였다.

그런데 다음 날 지나가던 B노인이 똑같이 고구마 줄기를 달라고 하시는 것이다. A노인이 달라고 해서 그렇게 하겠다고 약속을 하였다고 어정쩡하게 대답을 하였더니 "그 늙은이는 자기 밭에 고구마만 해도 많은데 욕심도 끔찍이 많다"고 하시며 알겠다고 하셨다.

드디어 고구마를 캐는 날이 왔다. 고구마 줄기를 모두 거두어 길가로 옮겨놓고 고구마를 캐기 시작하는데, 경운기를 몰고 지나가던 C노인이 고구마 줄기를 가져가겠다며 경운기에 옮겨 싣는 것이다.

나는 당황하여 A노인께 드리겠다고 몇 일 전에 약속 했다고 하였더니 "먼저 가져가는 놈이 임자"라면서 자기가 A노인한테 말 할 테니 걱정하지 말라는 것이다. 혹시라도 얼마 되지 않는 고구마 줄기 때문에 동네 어르신들과 불편한 관계가 되지 않을까 은근히 마음이 쓰였는데, 그 후 별 말이 없는 것을 보면 먼저 가져가는 놈이 임자라고 하던 말이 맞는 것 같다.

고구마는 추억의 먹거리임에 틀림없다. 최전방에서 군대 생활을 하던 시절 취침 점호를 마치고 잠자리에 누워서 배가 출출할 때면, 따끈따끈한 군고구마를 호호 불어가며 먹던 모습이 머릿속에 떠 올랐다.

지금 생각해도 왜 그렇게 군고구마가 먹고 싶었는지 첫 휴가를 나오는 날 버스터미널에 내리면서 제일 먼저 군고구마 장수부터 찾았으니 정말 이해 할 수가 없다. 이왕 생각 난 김에 마트에 가서 고구마 한 상자를 사다가 군고구마를 만들어야겠다.

보릿고개

모 방송국 트롯트 오디션에서 13세 소년 정동원군이 '보릿고개'를 부르자 심사석에 있던 가수 진성은 넋이 나간 듯 노래에 빠져들면서 눈물까지 흘리는 것이었다.

아야 뛰지 마라 배 꺼질라/ 가슴 시린 보릿고개 길/ 주린 배 잡고 물 한 바가지/ 배 채우시던 그 세월을 어찌 사셨소 (이하 생략)

노래를 마치자 사회자 김성주씨는 "진성 님께서 노래를 부르는 동안 눈물을 흘리셨는데 특별한 사연이라도 있느냐?"고 물었다. "어린 시절에 배고팠던 옛날 생각이 나서 나도 모르게 눈물이 나왔다"고 하였다.

이 노래가 처음 소개 되었을 때 듣고 있던 아내는 가사 내용이 너무 올드해서 요즘 시대에 어울리지 않는다고 하였지만, 나는 구절 구절마다 애절한 사연이 큰 감동이었다. 아내와 나이 차이가 불과 다섯 살 이지만 전쟁을 겪은 세대와 전쟁을 모르고 자란 세대의 견해 차이가 이렇게 엄청나다는 사실에 새삼 놀랐다.

보릿고개란 지난해 가을에 수확한 곡식을 겨우내 먹어서 양식이 바닥나고, 보리마저 미처 여물지 않은 음력 4~5월경에 식량 사정이 매우 어려운 시기를 춘궁기(春窮期) 또는 보릿고개라고 하였다.

내 생일은 음력으로 5월 3일이다. 초등학교 3학년으로 기억되는 생일 날 어머니는 배급 받아 온 찰기가 하나도 없는 양쌀로 들에서 뜯어온 쑥을 넣어 개떡을 만들어 주시면서, "지지리 복도 없이 하필이면 보릿고개에 태어나서 생일 날 제대로 차려진 생일상 한번 못 얻어 먹는다"고 안타까워하시던 모습이 생각난다.

지금은 경제 성장과 함께 농가 소득도 늘어나서 보릿고개라는 말이 생소하지만 해방은 되었어도 사회가 안정되지 않은 상태에서 6.25전쟁을 치르다 보니, 농촌의 어려운 식량 사정은 연례행사처럼 찾아와서 신문지상에 '올해 첫 아사자(餓死者) 발생'이라는 보도가 될 만큼 힘든 시기가 있었다. 세상 사람들 모두가 배고프고 먹거리를 구하기가 힘들어서 나무껍질이나 풀뿌리(草根木皮) 중에서 먹을 수 있는 것은 닥치는 대로 모두 먹었다. 소나무껍질, 칡뿌리, 솔잎은 물론이고 심지어 찰흙을 곱게 앙금을 내어 죽에 섞어서 분량을 늘려 먹기도 한다는 소리도 들었다.

나 역시 또래들과 어울려서 산과 들로 다니며 봄에는 진달래꽃이나 아카시아 꽃을 따서 먹고, 소나무의 송아(松牙)를 꺾어 먹고, 소나무 겉껍질을 벗겨내고 송기(松肌)를 긁어내어 껌처럼 씹기도 하였다. 송기는 멥쌀가루에 섞어서 절구나 떡메로 쳐대어 절편이나 송편 또는 개

피떡을 만들기도 하는데, 빛깔이 곱고 향기가 좋아서 지금도 전통 떡 재료로 사용되고 있다.

산과 들에는 계절에 따라서 다양한 먹거리가 있다. 산딸기와 머루, 다래는 제일 맛있고, 어름과 가염도 먹을 만 한데 그 중에는 요즘 보이지 않는 올망개와 삘기도 있었다. 올망개는 묵을 만드는 재료로 쓰이는데 연못이나 논바닥에서 도토리 같고, 새까만 뿌리 같이 생긴 것이 날로 먹어도 아삭하고 달짝지근한 맛이다. 삘기는 '띠'라고도 하며 개간지나 묘역의 잔디 틈에서 많이 자라는 잡초인데 꽃이 피기 직전에 통통하게 올라온 속살을 뽑아 먹으면 아삭하고 달콤하면서 쫄깃한 맛이 제법 먹을 만 하다.

어느 날 어머니는 나물을 뜯으러 종일 들판을 누볐지만 워낙 많은 사람들이 뜯어가서 빈손으로 돌아오게 되자 클로버를 한 소쿠리 뜯어 오셨다. 토끼가 먹으니까 사람이 먹어도 문제가 없을 것 같아서 먹어 보려고 하셨단다. 그런데 힘들여 뜯어와 뜨거운 물에 살짝 데친 클로버는 질기고 뻣뻣해서 도저히 씹을 수가 없어서 노력한 보람도 없이 모두 쏟아버리고 말았다.

이렇게 배고픈 최빈국에서 세상 사람들이 깜짝 놀라는 3만불 시대의 잘 사는 나라가 되면서, 1년에 한두 번 먹을까 말까 했던 고기를 거의 매일 먹다 보니 비만, 고혈압, 당뇨, 고지혈증과 같은 환자가 늘어나서 사회 문제가 되고 있다.

'개구리 올챙이 때 생각 못한다'는 속담이 있다. 주린 배 잡고, 물 한 바가지로 배 채우던 보릿고개를 생각하며, 주변에 힘들게 살고 있는 이웃은 없는지 한 번쯤 살펴보는 마음이 필요할 것 같다.

매 듭

인생은 세상에 태어나면서부터 살아가는 길이 수 없이 많다. 편안한 길, 힘든 길, 행복한 길, 불행한 길, 외로운 길... 공자의 논어(論語) 위정편(爲政篇)에 이런 글이 있다. '나이 열다섯은 학문에 뜻을 두어서 지학(吾十有五而志于學), 서른에 뜻이 확고하게 섰다하여 이립(三十而立), 마흔에는 미혹되지 않아서 불혹(四十而不惑), 쉰에는 하늘의 명을 깨달아서 알게 되었다고 지천명(五十而知天命), 예순에는 남의 말을 듣기만 하여도 곧 그 이치를 이해 한다고 이순(六十而耳順), 일흔이 되어서는 마음이 하고 싶은 대로 하여도 법도에 어긋나지 않았다 하여 종심(七十而從心所欲不踰矩).'이라고 하여 인생은 나이에 맞는 역할이 주어지는 것 같다.

친구 중에 G라는 친구가 있다. 그는 동기 졸업생 중에서 유일하게 S대에 합격하여 모교 정문에는 물론, 친구가 살고 있는 마을 어귀에 'S대 합격 경축' 현수막이 걸리는 화제의 주인공이 되었고, 4년후 대학 졸업을 하면서 국내 굴지의 대기업에 바로 취직이 된 것이다. 당시만 해도 취업하는 것이 쉽지 않아서 몇 년씩 취업 재수를 하는 젊은이들이 많았던 시절이어서 그는 다시 한 번 부러움의 대상이 되었다. 그는 입사 후에 성실하고 뛰어난 능력을 인정 받아 다른 동료들 보다 빠르게 진급하며 입사 5년만에 기획실장 자리까지 오르고, 머지 않아서 최연소 중역으로 승진 될 것이라는 입 소문까지 사내에 떠돌고 있었다.

그러던 차에 회사 직영 공장에서 노사분규가 발생하고, 이 노사분규는 멈출지 모르고 점점 확대되어 가고 있었다. 생산공장의 노사분규는 친구가 근무하는 부서와는 직접적인 관계가 없어서 평소대로 근무를 하고 있는데, 하루는 출근을 하자 사장님이 부른다는 것이었다. '무슨 일 일까?' 왠지 불안한 예감으로 사장실을 들어갔더니 중역들과 회의를 하시던 사장님께서 지금 공장에서 벌어지고 있는 노사분규가 더 악화 되어서 공장장이 사직을 하였다며 후임으로 G실장이 공장장 업무를 맡아 달라는 것이었다. 친구는 상상도 하지 못했던 인사 조치에 당황하며 "공장 경험도 없으면서 노사분규 중에 있는 공장장 업무를 수행하는 것은 자신이 없다."고 사양을 하였지만, 사장님께서는 "지금으로서는 공장을 맡을 적임자가 없다. 이사회에서 결정된 것이니 잘 부탁한다."고 하였다.

회사 결정에 따르지 않으면 사직하는 길 밖에 없는 상황이라 다음날 공장으로 출근을 하였는데, 상상도 하지 못했던 사태가 터져 버렸다. 노사분규를 해결 하기는커녕 전임 공장장을 회사에서 해고 시켰다고 즉시 복직시키라며, 전 공장의 생산라인을 올 스톱시키는 사태로 확대 되었다. 언론에까지 탑 뉴스로 보도되는 상황까지 이르게 되면서 새로운 공장장을 보내지 않은 것만 못한 결과가 되어버린 것이다. 친구는 자신의 능력으로는 이 문제를 해결할 수 없다는 판단을 하고 즉시 사직을 하였다. 입사 5년 만에 승승 장구하던 유능한 친구가 본인의 뜻과는 전혀 관련 없는 사건으로 인생의 행로가 엉클어지기 시작하였다. 더욱 안타까운 사실은 다른 회사에 취업을 하려고 해도 노사분규로 쫓겨났다는 이유로 취직 조차 되지 않아서 힘든 삶을 살아가야 했던 것이다.

인생을 하나의 실타래라고 본다면, 엉클어진 매듭 하나하나를 풀어가는 재미로 살아야 한다는 명언도 있지만 인생의 매듭이 얼마나 엉켰는지 그 정도에 따라서 쉽게 풀어질 수도 있고, 도저히 풀어질 수 없는 상태여서 극단의 선택까지 이르는 경우도 있다.

나 역시 살아오면서 크나 큰 시련을 겪었던 일이 있다. 회사가 상청회사의 부도로 인하여 받을 돈을 받지 못하고, 받아놓은 어음은 종이 조각이 되다 보니 연쇄 부도를 맞은 것이다. 한마디로 열심히 일구어놓은 회사가 제삼자로 인하여 엉클어진 것이다. 눈앞이 캄캄하여 어디에서부터 매듭을 풀어야 할지 몰라 갈팡질팡 할 때 큰 힘과 용기를 주신 분이 처남이었다. '하늘이 무너져도 살아 날 구멍은 있는 법'이라며 그 구멍만 찾으면 살아난다는 것이었다. 이 때 내 나이가 하늘의 명을 깨달아 알게 되었다는 지천명 때였다. 흔히 어른들은 이런 경우를 '타고난 업보가 아니면 팔자소관'이라고 하지만 도저히 받아 들일 수 없는 황당한 일이었다.

사람이 태어나서 학교를 졸업하고, 취업을 하고, 결혼을 하고, 아이를 키우며 살아가는 것이 인생의 기본인데 취직을 못해서 꼬이고, 직장에서 일 처리를 잘못하여 꼬이고, 결혼을 하는 과정에서 부모의 반대로 꼬이고, 아이를 낳는 과정에서 꼬이고, 자식들이 자라면서 어디서부터 꼬였는지 모르게 엉켜버려서 쉽게 풀 수 없는 '인생의 매듭'이 생기는 것을 주위에서 쉽게 볼 수 있다.

이렇게 힘든 삶의 매듭이 있는 반면에 귀중한 대접을 받는 매듭도 있다. 바로 매듭을 이용한 매듭공예이다. 매듭공예는 끈목을 사용하여 맺고 엮어 여러 가지 모양을 만들어낸다. 팔찌, 반지, 노리개, 목걸이, 브로치, 벽걸이 인테리어 소품 등 다양한 작품을 만들어 내는 우리의 전통 매듭은 예술적 가치로 인정 받고 있는 것이다.

아무리 심하게 엉클어진 매듭이라도 풀리지 않는 매듭은 없다. 만약에 당신이 매듭을 풀지 못하여 힘이 든다면 싹뚝 잘라버리고 매듭의 흉터가 아주 작게 직접 연결하는 것도 한 가지 방법이 될 수 있을 것 같다.

버 스 안 내 양

“감사합니다”, “카드를 한 장만 대주세요”, “잔액이 부족합니다” 시내버스를 승차하면서 버스 카드를 단말기에 터치하여 버스 요금을 지불하는 요즘의 모습이다.

어린 시절 내 기억으로는 시내버스 앞문에 버스 안내양이 요금을 받고 뒷문에는 남자 조수가 있었는데, 그 후 남자 조수는 없어지고 여자 안내 양 혼자 승객의 하차지(下車地)를 안내하고, 버스 요금을 징수하며, 출입문을 열고 닫는 일을 하였다.

1960년도 초반 때쯤일 것이다. “청량리 중량교가요!” 출근시간에 목이 터져라 호객행위를 하는 버스 안내양을 보고 있던 시골 할아버지가 안내양을 향하여 “이 고약한 놈아! 늙은이를 놀리는 거냐?”고 화를 내시는 것이었다.

“언제 제가 할아버지를 놀렸다고 이러세요?”, “야! 이놈아! 네가 방금 차라리 죽으러 가요! 차라리 죽으러 가요! 하지 않았느냐?”

“청량리 중량교가요”를 “차라리 죽으러 가요!”로 잘못 알아 듣고 세상 말세라 풍자한 코미디가 유행했던 적이 있었다.

당시만 해도 버스 안내양들은 회사 기숙사에서 공동 생활을 하였고, 버스 요금은 현금과 병행하여 학생 회수권과 일반 회수권을 사용하였는데, 안내양들이 삥땅을 한다고 기숙사에서 몸 수색을 하여 사회적으로 문제가 되기도 하였다. 안내양의 입장에서는 인권유린이라고 할 수도 있지만 사업주 입장에서 삥땅은 절도범에 해당하는 행동인 것이다.

그 후 혼자 근무하던 안내양이 없어지고 운전기사가 버스를 운행하면서 녹음된 하차지 안내방송이 시작되었고, 버스 벨이 설치되면서 승객이 하차하기 직전에 벨을 누르면 운전기사는 버스 정류장에서 자동문을 열게 되었다. 두 명씩 근무하던 안내양이 한 명으로 되더니 지금은 남아있던 한 명까지 사라지고, 그 자리를 첨단 기계가 대신하는 세상이 되어 가고 있다.

얼마 전 친구들과 점심을 먹으러 소문난 맛 집에 갔을 때 말로만 듣던 로봇이 식탁 앞까지 음식 나르는 것을 보고 깜작 놀란 적이 있다. 인건비가 너무 올라서 종업원을 채용하기도 겁나고 당장 큰 돈은 들었지만 미래를 내다보고 시험적으로 한 대를 구입 하였다는 주인의 말이 이해되었지만, 더 많은 로봇이 여러 분야에서 활용된다면 사람들의 일자리도 잃어버리게 될 것은 분명한 일이다.

첨단 기술의 향상도 필요하겠지만 줄어드는 일자리만큼 취업을 못하는 젊은이들이 늘어 날것이 걱정된다.

얘들아! 밥 먹어라!

어린 시절을 보낸 고향 서울 금천구는 고층 아파트가 빽빽하게 들어찬 도시로 변하였지만 당시에는 조용한 시골 마을이었다. 우리 형제들이 남달리 씩씩하게 자라서인지 형님은 동네 아이들의 대장 노릇을 하였다. 특히 형님은 손재주가 뛰어나서 방패 연도 만들어 주고, 팽이도 깎아주고, 썰매도 만들어 주어서 인기가 무척 좋았다.

우리들은 연 날리기, 썰매타기, 자치기, 구슬치기, 딱지치기, 팽이치기, 제기차기, 말뚝 박기, 가이생 같은 놀이를 하며 놀았고, 여자 아이들은 땅 따먹기, 고무줄 놀이, 사방치기, 공기놀이, 줄넘기, 비석치기, 실 띄기를 하며 놀았는데 우리가 제일 재미있게 놀았던 것은 말뚝 박기와 가이생 놀이였다.

말뚝 박기는 인원 제한 없이 편을 나눌 수 있는 네 명 이상만 모이면 아무리 인원수가 많아도 함께 놀 수가 있다. 놀이 방법은 두 편으로 팀을 나누어서 공격 팀과 수비 팀을 정한다. 수비 팀은 한 명이 벽이나 나무에 기대어 서서 마부가 되고, 나머지 사람들 중에서 제일 앞장 서는 사람이 허리를 구부려 마부의 사타구니 사이에 머리를 끼고 두 손으로 마부의 다리를 잡고 엎드리면, 다음 사람도 허리를 구부려 앞 사람 다리 사이에 머리를 끼고 앞사람의 다리를 잡고 말을 만든다. 공격 팀은 멀리서부터 달려와서 두 손으로 수비 팀의 등을 집고 올라탄다. 이때 공격 팀 모두가 말을 타기 위해서 맨 처음 출발하는 사람은 최대한 앞쪽으로 타야 한다. 공격 팀이 말을 타다가 중간에 떨어지거나 땅에 다리가 닿으면 공격과 수비가 교체된다. 반대로 수비하는 팀이 힘이 없어서 중간에 무너지면 공격 팀이 다시 공격한다. 공격 팀이 다 탈 때까지 수비 팀이 무너지지 않으면 맨 앞사람이 마부와 가위바위보를 해서 이긴 편이 공격을 계속하면서 놀이가 계속된다.

지금도 나는 키가 커서 기골이 장대하다는 말을 듣지만 그 때도 남들보다 키가 커서 마부는 한 번도 해 보지 못하고 사람들이 가장 많이 타는 중간 말 노릇만 하였는데, 공격을 할 때는 멀리까지 잘 뛰어서 맨 처음으로 말을 타곤 했지만 가위바위보에서 질 때는 팀원들의 원성을 듣기도 했다.

우리가 자주 놀던 또 다른 놀이로 가이생 놀이가 있다. 가이생 놀이를 즐기려고 모인 사람들은 공격 팀과 수비 팀으로 나누고 공격 팀이 상대편 진지에 들어가서 목적지를 점령하여 만세를 부르면 승리하는 놀이로, 진지를 점령하려면 양팀 서로가 몸 싸움이 대단하여 실제 전투처럼 부딪치고 넘어져서 옷이 찢어지고 단추가 떨어지기도 하며, 온 몸뚱이가 흙투성이 되기 일쑤였다. 그래서 어머니 한데 꾸중을 듣기도 했지만 공터 바닥에 금만 그을 수 있으면 얼마든지 재미있게 놀 수 있기 때문에 학교에서는 물론 동네에서도 아이들만 모이면 가이생 놀이를 하였다.

어느 날 아침 운동장 조회 시간에 교장선생님께서 요즈음 가이생 놀이를 많이 하는데 가이생은 큰 병력(兵力)이 싸우는 전투(戰鬪)를 의미하는 일본의 가이센(會戰)에서 유래되었다고 하시며, 앞으로는 가이생이란 말을 쓰지 말고 승리(勝利)놀이로 부르라고 하셨다. 하지만 놀기에 정신 없는 우리들은 교장선생님의 깊은 뜻을 이해하지 못하고 승리놀이라고 하는 아이는 한 명도 없었다.

어린 시절 우리 또래들은 학교에서 돌아오면 숙제부터 해놓고 놀라는 어른들의 말씀은 뒷전이었고, 책가방을 마루에 던져놓고 동네 아이들이 놀고 있는 곳으로 달려가곤 하였다. 말뚝 박기나 가이생 놀이를 하는 중간에 들어가려면 반듯이 짝이 한 명 있어야 공격 팀과 수비 팀으로 나누어 들어 갈 수 있기 때문에 짝이 없으면 짝이 나타날 때 까지 기다려야 하지만 약삭빠른 녀석은 깍두기를 하겠다면서 공격 팀과 수비 팀을 번갈아 왔다 갔다 하는 요령을 부리기도 하였다. 이렇게 해 저무는 줄도 모르고 놀다가 "애들아! 밥 먹어라" 부르는 어머니의 목소리가 들려오면 그제야 놀이를 마치고 집으로 들어가곤 하였다.

얼마 전 복지관 게시판에 '전통놀이 지도자' 자격증 과정 수강생 모집 공고가 붙었다. 전통놀이 지도자 과정이라면 나이 든 할아버지가 손주들에게 옛날 놀이를 가르칠 수 있는 과정이라고 생각하니, 이런 자격증이 있으면 어린이 집이나 유치원 또는 경로당 같은 곳에서 재능 기부를 하는 것도 보람 있을 것 같아서 등록을 하였다.

개강을 하는 날, 설레는 마음으로 교실문을 열고 들어 섰다. 수강생 30명 중에 할아버지는 유일하게 나 혼자 뿐이었다. 좀 어색하였지만 수업이 시작되면서 강사 선생님께서는 할머니들 틈에서 용감하게 등록 하신 청일 점 할아버지를 우리 모두 환영하자며 힘차게 박수를 쳐주시고 수업을 시작하셨다.

정년 퇴직을 하고 모든 일에서 손을 놓고 있는 나이에 딱 맞는 교육을 받게 된 것은 행운이다. 기억력이 떨어져서 방금 들은 이야기도 잘 잊어버리지만 고향 친구들과 뛰어 놀던 어린 시절을 떠 올리며, 열심히 공부하여 자격증을 획득하여 우리의 전통놀이 보존에 작은 보탬이 될 수 있으면 좋겠다.

저 출산과 드라마

2022년 8월 25일자 뉴욕 타임즈 헤드라인에 '대한민국 출산율 또 세계 신기록 경신'이라는 보도가 있었다. 기사 내용에는 2021년 조사에서 가임 여성 1명당 0.81명 출산을 한다며 미국 1.66명, 일본 1.37명과 무척 대조를 이루는데 참고로 출산율이 2.1명은 되어야 이민과 같은 정책 없이 인구를 유지 할 수 있다고 한다.

우리나라가 가난에서 허덕이던 1960년대 정부에서는 산아제한 정책을 실시하였다. '많이 낳아 고생 말고 적게 낳아 잘 키우자'라는 구호를 귀에 못박히도록 외쳤고 '3.3.35 운동'도 펼쳐나갔다. 3명의 자녀를 3년 터울로 낳고 35세에 단산을 하자는 것이었다.

이렇게 계속되었던 산아제한 운동에서 우리 사회에 뿌리 내려있는 남아선호 사상으로 아들을 낳기 위해 출산을 계속하는 사례에 대응하기 위하여 '아들 딸 구별 말고 둘만 낳아 잘 기르자'는 표어가 나오며 두 자녀 가정의 정착이 시작된 것이다.

이 시대에 결혼한 우리 부부는 아이를 몇 명 낳을 것인가 의논을 하다가 둘 낳는 것을 원칙으로 하지만 만일에 동성이 연속 될 경우에는 셋째까지 낳기로 의견을 모았다. 쉽게 말해서 첫째와 둘째가 아들과 딸이면 나라에서 권장하는 두 명만 낳지만 첫째 둘째가 모두 아들이거나 모두 딸이면 한 명을 더 낳아서 세 명을 낳기로 한 것이다. 그런데 첫째가 딸이고 둘째 아들이어서 다행스럽게 두 자녀의 가정이 된 것이다.

그랬던 것이 80년도에 이르면서 또 다시 한 자녀 정책으로 바뀐 것이다. '잘 키운 딸 하나 열 아들 안 부럽다' 이렇게 우리는 인구 증가에 대한 긴박함이 절실 했던 것 같이 계속해서 인구 억제 정책으로 이어오다 보니 지금에 와서 저 출산으로 고심을 하게 된 것 같다.

우리 아들의 경우만 보아도 딸 하나만 낳고 둘째를 갖지 않기에 "하나를 더 낳으면 좋지 않겠냐?"고 하였더니, 하나 키우기도 힘이 드는데 둘까지 키우는 것은 자신이 없다는 것이다.

예전에 어르신들은 '지 먹을 것 지가 가지고 태어난다'고 하셨지만 요즘 젊은이들은 경제에 대한 불안감이 크고, 취업이 힘들며, 연금이 고갈되고, 부동산이 비싸서 주택 구입이 어렵고, 아이를 키우는데 들어가는 교육비도 만만치 않아서 아이 키우는 것이 쉽지 않은 환경이라고 하였다.

저 출산을 막으려면 제일 먼저 비혼(非婚)을 없애야 한다. 요즘에는 결혼을 하지 않고 독신으로 살겠다는 젊은이들이 날로 늘고 있다. 이

것은 하늘의 뜻을 져버리는 행동이다. 결혼은 하나님께서 천지 창조 직후에 친히 제정하신 신성한 제도(창 2:20-25; 마 19:4-6)라고 하신 것처럼 젊은 남녀는 반드시 결혼하여 가정을 이루는 것이 기본이다.

또 만혼(晩婚)을 줄여야 한다. 고전에 나오는 성춘향과 이몽룡의 나이가 16세였지만 내가 결혼을 하던 시절만해도 남자가 30세가 넘으면 노총각이라고 하였고, 여자가 27세를 넘으면 집안의 어른들은 큰 걱정을 하였다. 그랬던 것이 점차로 결혼이 늦어지면서 얼마 전에는 60세 연예인의 결혼소식이 뉴스에 나올 만큼 40~50살에 결혼하는 것이 사회통념처럼 되다 보니 출산은 자연히 늦어지는 것이다.

그렇다면 왜 비혼자와 만혼자가 계속하여 늘어나는 것일까? 평소 생활 속에서 느꼈던 문제점 하나를 지적해 본다. 우리나라 사람들은 대부분 저녁이면 TV 앞에 모여 앉아서 일일 연속극이나 주말드라마를 시청한다. 발표된 자료에 따르면 지금까지 방영된 역대 드라마 중에서 첫사랑(KBS) 65.8%, 모래시계(SBS) 64.9%, 사랑이 뭐길래(MBC) 64.5% 의 시청률에서 보여주는 것과 같이 많은 국민들이 드라마를 즐겨 보고 있는 것이다.

그런데 이렇게 즐기는 우리의 TV 드라마 대부분이 멜로드라마이고 내용에도 문제점이 있다. 물론 건전하고 교육적인 드라마도 있지만 많은 드라마에서 불륜, 이혼, 고부갈등, 가정불화, 학교폭력 같은 주제를 다루다 보니 현실과 드라마를 혼돈하여 '저런 남편을 만날 바에는',

'저런 아내를 만날 바에는', '저런 시어머니를 모시고 살 바에야 차라리 결혼을 하지 않고 혼자 사는 것이 좋겠다'는 생각이 자신도 모르는 사이에 잠재의식으로 남아있게 되면서 만혼과 비혼의 원인이 될 수 있지 않을까 조심스럽게 지적해 본다.

한 때 KBS에서 드라마 흡연장면을 없애버린 결단을 내려 자금까지 잘 지켜지고 있는 것처럼 이제는 비혼, 만혼, 저 출산을 줄이는데 앞장서서 시청률을 의식하지 않고 아름다운 결혼 생활, 화목한 가정 생활을 주제로 하는 드라마로 전환하였으면 좋겠다.

이 같은 건전한 내용의 드라마가 모든 방송국에서 실천하는 것이 어려운 문제라면 최소한 나라를 대표하는 국민의 방송 KBS에서라도 행복한 결혼과 아름다운 가정생활을 주제로 하는 홈 드라마로 전환하여, 저 출산에서 벗어나는데 조금이라도 일조해주었으면 좋겠다는 바람이다.

저 출산 문제는 국가의 존폐가 달려있을 만큼 심각하다. 출산율 2.1명이 되어야 나라가 유지된다는 사실을 우리 모두가 상기해야 할 것이다.

누나와 검버섯

어느 날 아침이었다.

“따르릉 따르릉” 발신자를 확인하니 누나의 전화였다.

“누나! 저에요!”

“그래! 별일 없지?”

“네! 그런데 어쩐 일로 이 시간에 전화를 했어요?”

“이번 토요일에 시간 좀 낼 수 있니?”

“네! 그런데 왜요?”

“어디 좀 같이 갈 데가 있으니까 12시까지 집으로 와라”

“어디를 가는데요?”

“그 날 와 보면 알아!”

무슨 일이지 궁금했지만 알았다며 전화를 끊었다.

약속한 토요일, 조금 이른 시간에 누나 집에 도착했다. 누나는 이미 외출 준비를 하고 나를 기다리고 있었다. 만나자 마자 궁금해서 어디를 갈 것이냐고 물어도 점심을 먹으며 이야기를 하자는 태도가 뭔가 숨기는 것 같았지만 누나가 가자는 갈비탕 집으로 향했다.

"이 갈비탕 집은 조카 결혼식을 하던 날 하객들에게 점심을 대접하던 곳으로 누나의 단골집이다."

오늘 만나자고 한 것은 지난 번 만났을 때 내 얼굴에 검버섯이 너무 많이 보여서 검버섯을 빼 주려고 피부과에 예약을 하였다며, 미리 말을 하면 거절 할 것 같아서 미리 말을 안 했다고 하신다. 늙으면 검버섯이 생기는 것은 당연한데 왜 빼느냐고 하였더니, 누나가 검버섯을 빼고 났더니 10년은 젊어 보인다며 늙을수록 자기관리가 필요한 것이라고 하신다.

우리가 흔히 말하는 검버섯은 누구나 나이가 들면서 생길 수 있는 흔한 피부 병으로 정확한 의학 용어로는 '지루각화증'이라고 하는 피부질환이라고 한다. 주로 노년층의 피부에 거무스름한 점과 비슷한 얼룩으로 얼굴을 비롯하여 손 등 다양한 부위에 발생하여 저승 점 또는 저승 꽃이라 부르기도 하는데, 아직까지 발병 원인은 정확히 밝혀지지 않았다고 한다.

식사를 마치고 여기서 멀지 않다고 하시며 천천히 걸었다. 피부과 문을 열고 들어서니 대기실에는 60대 전후로 보이는 초로의 여인들 여러 명이 대기하고 있었다. 누나는 접수를 마치고 오면서 미리 예약이 되어있어 얼마 기다리지 않아도 된다고 하신다. 나이가 드셨어도 선생님 출신이기 때문인지 일 처리를 딱 부러지게 하신다. 대기 석에 앉아있는 사람들의 시선이 누나와 나에게 집중하는 것 같다. 할아버지 혼자 왔어도 이상하게 보일 텐데, 팔십 대 할머니가 칠십 대 할아버지의 검버섯을 빼러 왔으니 사람들 눈에 이상한 관계로 볼 수 있겠다는 느낌을 받았다. 누나는 대기 석 소파에 앉으면서 옆에 할머니에게 "젊은 할아버지하고 와서 이상해 보이나요?" 하면서 묻지도 않은 나를 친동생이라고 소개를 하신다. 우리 관계가 정말로 궁금했었는지, 참으로 대단하신 누님이라고 여기 저기서 한 마디씩 한다.

검버섯이나 기미, 주근깨는 레이저 시술로 제거를 하기 때문에 실내에는 기분 나쁜 냄새로 가득하다. 내 차례가 되었다. 늙은 할배가 검버섯 제거 시술을 하는 것 자체가 쑥스러웠는데, 의사 선생님은 웃으시면서 의사 생활을 이십 년 넘게 했어도 늙은 동생 검버섯을 제거해주려고 오신 분은 처음이라며 멋쟁이 누님을 두어서 참 좋겠다고 하신다. 나 역시 쑥스러워서 그냥 웃음으로 대신 했다.

잠시 후 시술이 시작 되었다. 눈을 감고 있어도 레이저의 불빛이 움직이면서 '타다닥 타다닥' 레이저 빔의 소리와 함께 따끔거리고 기분 나쁜 냄새가 살 타는 냄새라는 것을 알게 되면서 묘한 기분이 든다. 시술시간은 생각보다 빨리 끝났다.

그 후 얼마 뒤에 동창회 모임에 나갔다. 70대에 들어선 친구들은 누가 보아도 할배 티가 제대로 났다. 오래간 만에 만난 친구들은 하나같이 너는 늙지도 않고 그대로 라고 한다. 식사를 하면서 이런 저런 대화를 나누던 중에 한 친구가 "수광이 너는 아무리 봐도 젊어진 것 같은데 비결이 무엇인지 말해 달라"는 것이다. 나는 검버섯을 제거했다고 실토를 할까 하다가 "확실하게 젊어 질 수 있는 비결을 가지고 있지만 공짜로 가르쳐 줄 수는 없고, 꼭 젊어지고 싶은 사람은 전화를 하면 그 비법을 가르쳐주겠다"고 하였다. 왜냐하면 요즘에는 하루 종일 전화벨이 울리지 않아서 핸드폰을 어디에 두었는지 모를 정도로 전화 오는 곳이 없어졌기 때문이다. 친구들아! 전화 좀 하면서 살자!

커 피 이야기

길을 걷다 보면 가장 많이 눈에 띄는 것이 카페이다. 장사가 되지 않아서 문을 닫는 점포에 며칠 지나면 새로운 카페가 생겨난다. 참 신기한 일이다. 아침 식사를 하지 않고 출근 하는 여직원 손에 커피가 들려 있다. 아침 밥은 굶어도 커피는 마셔야 하는 젊은이 들이다.

더욱 놀라운 것은 경기도 김포시에 있는 P카페가 세계에서 가장 큰 카페라고 기네스북에 등재되어 있다는 것이다. 커피 한 톨도 생산되지 않는 나라에서 언제부터 커피를 즐겨 마시게 되었을까?

우리나라에 커피가 들어 온 것은 구한말이라고 하지만 일반 사람들에게 보급된 것은 한국전쟁 이후에 생겨난 다방에서 출발했다고 볼 수 있지 않을까? 여덟 살 때인가, 아홉 살 때인가? 한국전쟁 이후 미군이 주둔하면서 굶주린 아이들은 외출 나온 미군들에게 "헬로! 기브미 쵸코렛!"을 외쳤다. 그들은 재미가 있었는지 아니면 불쌍해서인지 주머니에서 초콜릿도 꺼내어 던져주고, 껌도 던져주면 또래 아이들은 서로 주우려고 아귀다툼을 했다. 그 시절에 미군 부대에서 흘러나온 C-레이

션의 내용물 중에 초코렛도 있고 인스턴트 커피도 있었다.

생전 처음 보는 인스턴트 커피를 '쓴 가루'라고 불렀고, 레몬 티를 '신 가루'라고 하면서 봉지째로 빨아 먹던 것이 내가 처음으로 맛 본 커피 맛이다. 그 후 파월 장병들로부터 보내 온 C-레이션이 늘어나면서 서서히 커피의 맛에 길들여 지기 시작된 것 같이 생각된다.

C-레이션은 미군의 전투 식량(Combat ration)의 약자로 알려져 있지만, 명칭 자체는 그냥 순서대로 ABC를 붙인 미군의 전투 식량 중에서 C형 식량이라는 뜻으로 그 속에는 치즈바, 시리얼바, 초콜릿바, 젤리바, 과일 케이크바, 페퍼민트 츄잉껌, 설탕, 커피, 차, 정제소금 같이 즉시 먹을 수 있는 식량과 비누, 수건이 들어있었다.

내가 커피를 마시기 시작한 것은 대학교를 다닐 때 친구들과 음악감상실에 가거나 다방에서 미팅을 할 때뿐이었고, 졸업 후에 직장 생활을 하면서 업무적으로 사람을 만나는 장소로 다방을 이용하게 되었다.

다방에는 한복을 곱게 차려 입은 마담 언니가 카운터에 앉아서 손님을 상대하고, 레지로 불리는 젊은 여성들이 미니 스커트 차림으로 홀 서빙을 하여서인지 유난히 남자 손님이 많았던 것 같다. 더 웃겼던 것은 커피 배달이다. 작은 개인 사무실이나 모텔에서 전화로 커피를 주문하면 젊은 레지는 보온병에 뜨거운 물을 담고 커피, 프림, 설탕과 커피 잔을 쟁반에 담아 보자기에 싸가지고 와서 상냥한 미소를 지으며 커피1, 프림2, 설탕2 또는 설탕3 같이 손님이 원하는 비율대로 즉석 커피를 만들어 주기도 하였다.

그 후 1회용 커피 믹스가 생겨나고 커피 자판기가 등장하면서 커피는 일상 생활 속 깊이 자리 잡게 되었다. 농어촌은 물론 깊은 산골 홀로 사는 자연인까지 커피믹스를 즐기게 되면서 우리나라의 커피 소비량은 세계 6위라고 하는 엄청난 커피 소비국이 되었다.

그런데 유행이라고 할까? 카운터에서 주문을 하고 진동 벨을 받아 자리에 앉아서 기다리다가 벨이 울리면 커피를 받아와서 스스로 설탕과 프림을 넣어 마시는 셀프서비스 커피숍이 젊은 세대들 사이에 크게 확산되면서 기존의 다방들은 점차 줄어들어 지금은 찾아보기 힘들 정도로 자취를 감추었다.

얼마 전에 함께 근무하였던 직장 친구한테서 연락이 왔다. 퇴직한 직원들 모임이 있으니 나오라는 것이다. 무슨 일이 있느냐고 물었더니 "노인들은 내일 무슨 일이 생길지 모르니까 건강 할 때 얼굴이나 보자"고 L선배님이 자리를 마련하셨단다.

십여 년 만에 만난 동료들은 길거리에서 만나면 알아 볼 수 없을 정도로 늙어버린 모습에 모두들 껄껄 웃으며 참석하지 않은 옛 동료들의 안부를 물으며 식사를 마쳤다. 한 친구가 "커피는 제가 쏘겠습니다"라고 하자 오늘 자리를 마련하신 L선배님이 "카페에 늙은이들이 앉아 있으면 젊은이들 눈치가 보여서 부담스러운데, 얼마 전에 이 근처를 지나다가 '정 다방'이라는 간판을 발견하고 반가움에 지하 다방으로 들어가 커피 한잔을 마시며 옛날 생각을 하다가 오늘 모임을 같게 되었다"고 하셨다.

어르신들 출입을 금지하는 '노 시니어존' 카페가 등장하고, '60세 이상 어르신 출입 제한'이라는 사진이 유튜브에서 논란이 되는 문제에 대하여 '경노사상이 사라진 젊은이들이 문제'라는 의견과 '늙은이들이 행동을 잘 못했다'는 두 의견으로 나뉘어 정답 없는 토론을 벌이다가 "이런 추세라면 시니어 전용 다방이 다시 생겨나는 것 아니겠냐?"면서 모두들 자리에서 일어 섰다. 카운터에서 계산을 마치신 L선배님이 젊었던 시절에 사용하던 말투로 한마디 하신다.

"정 마담! 다음에 또 봐요!"

제 3부 내 나이가 어때서

전철 안에서

90년도에 세계섬유기계박람회가 일본 동경에서 개최된 적이 있었다. 가깝게 지내는 동종업계 사장님들과 단체로 관람을 갔을 때 신주쿠(新宿)에 있는 W호텔에 묵게 되었다. 아침 식사를 하던 중에 사장님 한 분이 이 근처에 중앙공원이 있는데 대낮에도 젊은이들이 벤치에 앉아서 애정 행각을 하는 모습을 볼 수 있다고 들었으니까 시간이 나면 구경을 가자고 하였다. 모두들 좋다고 하여 은근히 기대를 하였는데 결국에는 돌아오는 날까지 시간이 나지 않아서 구경을 못하고 귀국을 하였다.

당시만 해도 우리 사회에서는 상상할 수도 없는 일이었는데 세월이 흐르면서 우리 주변에서도 그 보다 못지 않은 행동이 공공연하게 눈에 띄고 있다.

얼마 전 춘천 가는 경춘선 전철 안에서의 일이다. 상봉역을 출발한 열차가 마석을 지나면서 많은 사람이 하차하여 손님들이 띄엄띄엄 앉아있어 전철 안은 한산하였다.

경로석에 앉아서 책을 읽다가 무심코 중간좌석에서 젊은 커플이 보기 민망할 정도의 스킨 쉽을 하고 있는 것을 보게 되었다. 그때부터 책에 집중이 되지 않고 시선이 자꾸만 그쪽으로 향했다. 처음에는 잠시 장난하는 것으로 생각했는데 가평을 지날 때까지 계속되다가 강촌 역에 도착을 알리는 안내 방송이 울리면서 그들의 행동은 멈추었고 열차가 정차하면서 자연스럽게 열차에서 내린 것이다.

세상이 아무리 변했어도 많은 사람이 이용하는 대중교통에서 눈살을 찌푸리게 하는 행동은 용납 할 수 없는 일이다. 하지만 이런 행동을 보면서 누구 하나 나서서 이들의 행동을 나무라는 사람이 없다는 것 또한 문제이다.

저녁을 먹은 후 오늘 전철에서 있었던 글을 블로그에 포스팅 하였다. 과연 어떤 댓글 들이 달릴까?

어느 날 경로석 맞은편에 장애인의 휠체어를 위해서 비워 둔 넓은 공간에 기대어 있었습니다. 제 옆 조금 떨어진 곳에서 젊은 남녀가 보기에 민망스러운 행동을 하더군요. 저는 속으로 좀 그렇다 싶었는데 별안간 경로석에 앉아 계시던 할아버지께서 “아주머니! 옆에 애들 좀 야단치소!”하고 소리를 치는 것이었습니다. “할아버지께서 직접 야단을 치실 것이지 왜 저한테 야단을 치라고 하세요!” 그들을 조금이라도 배려하는 할아버지의 의중을 이해 할 수 있어서 저도 한 마디 거들었습니다. 근처에 있던 사람들이 모두 웃었습니다. 이 정도 망신을 당하였으면 자리를 옮기거나 다음 정류장에서 내릴 것 이라고 생각했는데 그 남녀는 꼼짝도 하지 않았습니다.

몇 년 동안 이웃으로 지내고 있는 청평 C님께서 올려 준 댓글이다. 그 외에도 사회 지도층에 계신 분들의 성추행 사건이 심심치 않게 언론에 보도되고 있는 현실을 자라나는 청소년들이 배울까 걱정스럽다는 A님의 댓글도 눈길을 끌었다.

내가 학교를 다니던 시절만 해도 연애를 하는 학생들은 품행이 단정하지 못한 불량학생으로 보기 때문에 데이트를 할 때 팔짱을 끼거나 손을 잡고 길을 걷는 것 조차 남의 눈에 띄지 않도록 조심하였고. 여자아이가 연애하는 소문이라도 나면 아무개 집 딸이 바람났다고 온 동네에 화제거리가 되기도 하였다.

백세 시대가 되면서 길거리, 시장, 공원, 전철 등 어디에서나 노인들을 쉽게 만날 수 있다. 그런데 그 많은 노인들이 젊은이들의 잘못된 행동을 보고도 혹여 망나니 같은 놈들에게 봉변이라도 당하지 않을까 두려워서인지 어른의 권위를 스스로 포기하고 나 몰라라 하는 것이 큰 문제이다.

젊은이는 누구나 자유롭게 사랑을 할 수 있다. 하지만 사랑을 표현하는 행위가 다른 사람들에게 혐오감을 준다면 이것은 퇴폐 행위에 해당

한다. 사랑은 아름답고 많은 사람들의 축복 받았을 때 가장 숭고한 사랑이 된다는 것을 잊지 말아야 할 것이다.

스마트폰 이야기

대학 시절 지금은 미국으로 이민을 간 친구 B와 약속을 해놓고 갑자기 몸이 아파서 나가지 못한 것이 80평생 살아오면서 지키지 못한 유일한 약속이다.

지금은 전화 한 통화 또는 문자 연락으로 간단하게 해결할 수 있는 문제이지만 전화 보급이 제대로 되지 않았던 시절에는 불편한 점이 한두 가지가 아니었다. 그렇다 보니 긴급하게 연락할 일이 있을 때는 동네에 전화가 있는 집으로 전화를 걸어서 옆집 아무개를 바꿔 달라고 부탁을 하고, 시골인 경우에는 마을 이장 님 댁으로 전화를 걸어서 잠시 후 다시 전화를 할 테니까 아무개 엄마에게 전화를 받을 수 있게 불러 달라고 부탁하던 것이 일상이었다.

특히 도시에서는 공중전화를 주로 사용하였다. 서울역 광장같이 사람이 많이 모이는 곳에는 공중전화 박스가 십여 개씩 설치되어 있었지만 워낙 많은 사람들이 이용하다 보니 항상 길게 줄을 서서 차례를 기다리다가 앞에 사람이 통화가 길어지면 “빨리 끝냅시다” 독촉을 하다시비가 붙어서 말다툼을 하는 경우도 종종 있었다.

지금은 다방이 없어지고 커피 전문점이 생겨났지만 다방에서 약속을 해 놓고 나오지 못 할 경우에는 약속한 다방으로 전화를 걸어서 손님 중에 아무개 씨를 찾아 달라고 하면, 홀서빙을 하는 여자종업원은 '아무개 씨에게 전화 왔습니다'라고 쓰여진 피켓을 들고 테이블 사이를 한 바퀴 돌면서 전화 받을 사람을 찾기도 하였다.

전화 연락도 받지 못하고 약속이 어긋났을 때에는 메모지에 간단한 사연을 적어서 다방 출입구에 마련되어 있는 메모판에 꽂아 놓으면 늦게 도착한 사람이 메모 쪽지를 보고 다음 약속을 정하기도 하였다.

'커피 한 잔 시켜놓고/ 그대 오기를 기다리네/ 8분이 지나고 9분이 오네/ 1분만 지나면 나는 가요' 당시에 펄 씨즈터즈가 부른 '커피 한 잔'이라는 노래가 크게 히트 하였는데 노랫말 중에 약속 시간이 늦었을 경우 통상 10분을 기다리는 것이 기본이었나 보다.

이렇게 불편했던 시대가 변하여 집집마다 전화가 없는 집이 없더니 초등학생까지 핸드폰이 아닌 스마트폰으로 상대방의 얼굴을 보면서 영상 통화를 하는 시대가 되었으니 세월의 무상함을 느낀다.

내가 직장생활을 하던 젊은 시절에는 출근길 전철이나 버스에서 조간신문을 읽거나 책을 읽는 사람이 제법 눈에 띄었지만 그런 모습이 사라진지 이미 오래 되었고, 스마트폰으로 자기가 즐기는 영상을 들여다 보고 있는 것이 요즘의 모습이다.

집에서도 마찬가지이다. 아침에 일어나서 화장실을 갈 때면 조간신문부터 찾던 것이 이제는 스마트폰부터 챙긴다. 이렇게 하루의 생활이 스마트폰과 함께하다 보니 스마트폰을 들여다보며 걸어 다니는 사람들을 쉽게 볼 수 있고, 이런 사람을 '스몸비(스마트폰+좀비)'라고 부르는 신조어까지 생겨나면서 땅바닥만 쳐다보며 걷는 이들의 안전을 위하여 혼잡한 사거리에는 땅바닥에 깜빡 거리는 신호등까지 설치한 세상이 되었다.

스몸비가 되어서는 안 된다. 길거리에서 안전은 보장할 수 없기 때문에 대단히 위험한 것이다. 스마트폰도 지나치면 중독이 된다고 한다. 자신의 안전과 건강을 위하여 꼭 필요할 때만 사용하는 습관을 갖도록 스스로 노력했으면 좋겠다.

내 나이가 어때서

'어느 날 우연히 거울 속에 비춰진 내 모습을 바라보면서 세월아 비켜라 내 나이가 어때서 사랑하기 딱 좋은 나인데~'

가수 오승근이 부른 '내 나이가 어때서'라는 노랫말의 일부분이다. 이 노래는 노인들 사이에 인기가 많아서 노래가 있는 모임이면 어느 곳에서나 불려지는 애창곡이다. 왜 노인들은 이 노래를 좋아하는 것일까?

20년 가까이 끌고 다니던 소나타 승용차에 대한 이야기이다. 새 차일 때 엔진오일 교환을 할 때 외에는 카센터를 거의 찾는 일이 없지만, 연식이 쌓이면서 단골로 정비를 해 주시는 카센터 공장장님과 농담을 할 만큼 자주 찾게 되었다. 한 번은 이렇게 수리를 자주 할 바에야 차라리 폐차를 시키는 것이 옳지 않느냐고 물었더니, 폐차를 시키면 새 차를 구입하실 예정이냐고 묻는 것이다. 나이도 있어서 새 차를 구입할 계획은 없다고 하였더니, 연식이 오래되기는 했지만 아직은 쓸만하니까 살살 끌고 다니시다가 차가 폭삭 주저 앉으면 그때 폐차시키는 것이 좋을 것 같다고 하였다. 공장장의 말대로 그럭저럭 3년 정도 더 타다가 결국에는 폐차를 시키고 운전대에서 손을 놓았다. 허전하고 아쉬운 마음이 인생 다 살았다는 기분이었지만 그런 기분도 시간이 가면서 잊혀지고, 체력적으로 순발력이 떨어져서 조심스럽게 운전하며 불안해하던 스트레스도 대중교통을 이용하다 보니 없어져서 오히려 마음이 편안해진 것 같다.

그렇다. 사람이 나이 들어 늙어지면 노후 자동차가 제 기능을 다하지 못하는 것처럼 사람 역시 신체의 기능이 떨어져서 수시로 병원을 찾는 것은 불가피한 현상이다.

흰머리가 생기고, 기억력이 감퇴되어 깜빡깜빡 잊어버리고, 잇몸이 주저 앉아 치아가 흔들리고, 눈에는 유리창에 때가 끼듯이 뿌옇게 백내장이 생기고, 청각은 둔화되어 큰 소리로 대화를 하다가 더욱 심해지면 보청기에 의지하게 되는 것이다. 무릎 관절이 마모되어 걷는 것도 힘들고, 척추가 나빠져서 허리가 굽어진다. 더욱이 삶의 치명적인 치매를 비롯하여 암, 고혈압, 당뇨병, 심장 질환, 골다공증과 같이 노인에게 발생하는 노인성 질환에 시달리며 살아가는 것은 현실이다.

사람이 늙으면 기뻤던 일과 슬펐던 일, 아쉬움과 그리움, 잘 했던 일과 후회하는 과거를 뒤돌아 보게 되고, 자식들을 걱정하고, 건강을 염려하면서 '구구팔팔일이삼사'라는 말을 입에 달고 살면서 앞으로 다가올 마지막 삶에 대한 불안감을 가지고 살아가는 것이다.

그래서 흘러간 세월을 아쉬워하며, 자신을 위로하고 격려하는 희망적인 노래 가사와 어깨가 절로 흔들어지는 흥겨운 노래 '내 나이가 어때서'를 좋아하는 것이 아닐까?

사람이 오래 사는 것도 중요하지만 건강하게 노년을 보내는 것이 더 중요하다. 올해 90세가 되시는 저의 누님은 지금도 일주일에 한 번은 수영장에 가서 1시간동안 수영을 하신다. 수영장에서 누님을 처음 만나는 사람은 그 나이에 어떻게 수영을 편안하게 잘 하시느냐고 묻기도 하는데, 60세 때부터 꾸준하게 수영을 하신 것 때문인지 아직까지 큰 병도 한 번 앓으신 적 없이 노후를 보내시고 있다.

사람들이 나이는 숫자에 불과하다고 하는 말은 저의 누님 같으신 분들을 두고 한 말 같지만 내 생각은 그렇지 않다. 많은 분들이 '마음은 청춘이지만 몸은 하루 하루가 다르다'고 하시던 말씀처럼 신체의 기능은 어쩔 수 없이 노화되어서 나이는 어쩔 수 없는 나이인 것이다. 무리하지 않고 자신의 체력에 알맞은 운동으로 건강을 지켜가면서 노후 생활을 즐기는 것이 필요한 것이다.

회사 상호

사람에게는 누구나 이름이 있듯이 기업에도 이름이 있다. 기업은 법인(法人)이라 하여 법률상에서 권리 또는 의무의 주체가 되는 대상으로 법으로 만들어진 인격체라는 뜻이다. 쉽게 말해서 실제 사람은 아니지만 특정 단체가 법적으로 인정 될 경우 사람으로 간주한다는 의미이다.

어떤 책에서 읽은 이야기이다.

영어에서 기업 또는 법인을 'Corporation'이라고 하는데, 그 어원은 라틴어 'Corpus'의 육신(肉身)이라는 뜻으로 실제로 육신을 갖고 있지 않지만 이들 기업을 법인으로 규정하고 뼈와 살을 지닌 인간처럼 취급한다는 것이다.

우리에게 잘 알려진 일본의 가전 메이커 소니(Sony)가 히트 상품 워크맨으로 전 세계를 석권했을 당시에는 지금의 애플 이상으로 인기가 있어서 스티브 잡스가 방문할 정도로 일본을 대표하는 기업이었고, 한때는 Made in Japan이 아닌 Made in Sony를 제품에 표시한다는 루머가 떠돌 정도로 그 이름이 전 세계로 알려져 있었다.

그 만큼 회사 이름은 국가를 대표하는 것이다. 인도네시아에 근무하면서 회사 이름으로 인하여 한국인의 긍지를 갖게 만든 기업이 미원(Miwon)이다. 미원은 라이벌 회사 일본의 아지노모도를 제치고 인도네시아 조미료 시장을 압도적으로 석권했다. 농어촌 어디를 가도 미원을 상징하는 빨간색 신선로표 현수막이 눈에 띌 때마다 기분이 좋았다. 현지인들은 미원이 한국 제품이고 아지노모도가 일본 제품이라는 것은 중요시하지 않고 그냥 미원이 좋다고 받아들였다. 반면에 아쉬움이 남았던 이름이 금성(Gold Star)이다. 당시에 그 나라 사람들에게 많이 알려지고 친숙한 Gold Star TV와 라디오가 어느 날 LG로 바뀐 것이다.

미원은 회사 이름을 DaeSang으로 바꾸면서 미원이라는 이름을 상품명으로 고수하였다. 그런데 LG는 럭희와 금성이 통폐합 되면서 Gold Star라는 이름을 버린 것이다. 어떤 사정이나 대안이 있었는지 모르지만 Gold Star는 인도네시아 현지인들 사이에 우수한 브랜드로 많이 알려져 있었기에 더욱 아쉽다는 생각이 들었다. 우리나라 같이 작은 나라에서는 소비자들이 바뀐 상호를 쉽게 기억할 수 있지만 외국사람이 다른 나라의 새로운 상품을 기억하기는 예상외로 많은 시간이 소요되는 것이다.

여기서 새롭게 회사 이름을 작명할 때 참고로 했으면 좋겠다는 나만의 팁(秘法)을 예를 들어 보겠다. 지금은 전 세계가 하나의 시장이다.

세계 최대 반도체와 스마트폰의 삼성전자가 없었다면 한국이라는 작은 나라에 누가 관심을 가졌을까? 대한민국을 대표하는 삼성(SAMSUNG)은 세계인의 삼성인 것이다. 그런데 나라의 언어에 따라서는 삼성이 삼숭으로 불려지기도 하고, 자동차와 건설, 조선산업으로 삼성과 라이벌을 이루는 현대(HYUNDAI)도 현대가 아닌 현다이로 불려지고 있다는 점은 주목해야 할 것이다.

기업의 이름이나 상품의 이름을 작명할 때는 원명(原名)대로 불려지는 것이 제일 좋을 것 같다. 회사나 상품이 가지고 있는 이름의 의미나 뜻이 아무리 좋다고 해도 소비자가 그 이름을 기억하지 못하면 좋은 이름이 될 수 없다. 따라서 기억하기 쉽고 발음하기 편안한 이름이 세계시장에서 좋은 이름이라고 생각된다.

내가 인니에서 삼숭과 현다이를 아쉽게 여기면서 기아(KIA)의 경우 좋은 이름의 본보기가 아닐까 하는 생각을 한 적이다. 기아는 누구나 기아로 발음을 하기 때문이다. 이름은 어느 나라 사람도 원형에 가까운 발음을 할 수 있어야 좋을 것 같다. 특별한 자원이 없는 우리나라가 살아 갈 길은 수출밖에 없다. 세계 시장에서 사랑을 받는 우리 기업이 많이 태어나기를 간절히 바라는 마음이다.

훠거 양고기집에서

아들한테서 토요일 저녁에 외식을 하자고 전화가 왔다. 우리 동네에 다른 지역 사람들까지 원정을 올 정도로 훠거와 양고기가 유명한 중국 식당이 있다는 것이다. 훠거는 얇게 썬 쇠고기나 양고기를 샤브샤브와 비슷하게 국물에 익혀먹는 음식으로 중국인들의 외식 메뉴로 가장 선호하는 음식이라고 한다.

맛집으로 소문이 나면서 손님이 워낙 많아져 예약을 하지 않으면 몇 시간씩 대기를 하기 때문에 1시간 전에 예약을 해 두었다고 한다. 도착하니 건물이 제법 크다. 1층과 2층은 음식점이고 3층에서 5층까지 주차장이다. 처음에는 작은 식당으로 시작했는데 대박이 나서 건물을 신축했다고 한다.

중국집 상호는 반점(飯店), 각(閣), 루(樓), 성(城), 원(園), 관(館) 등을 주로 사용하는데 이 집 상호는 그냥 OO화궈(OO火鍋)이다.

식당으로 들어가면서 대기실에 많은 사람들이 기다리고 있는 모습이 보인다. 예약시간을 맞추어 갔기에 우리 부부와 아들 부부 그리고 외동이 손녀는 바로 안내해주는 테이블에 자리를 잡았다.

식당 내부가 쉽게 보기 힘들 정도로 화려하게 꾸며져 있다. 기둥과 서까래 마다 홍등이 켜져 있고, 색과 무늬 모양이 화려해서 마치 중국 거리의 느낌이 난다. 실내 천정은 아주 높고 금방이라도 날아 오를 듯이 공중에 떠있는 웅장한 용(龍)의 조각에 절로 탄성이 나온다.

서빙을 하는 젊은 청년이 가져다 놓은 은빛 물주전자가 골동품처럼 고풍스런 느낌이 난다. 식당 한편에는 짜사이, 땅콩, 단무지, 고추절임, 야채, 건두부, 버섯, 숙주와 함께 소금과 양념을 가져다 먹을 수 있는 셀프 코너가 있다.

중국인 종업원은 우리말이 서툴러서 먹고 싶은 메뉴를 물어봐도 소통이 어렵다. 많은 메뉴 중에서 아들은 양고기와 꿔바로우, 깐풍새우가 기본인 훠거 A코스와 양꼬치 구이를 주문했다. 땅콩과 짜사이가 나오고 숯불과 양꼬치가 먼저 나왔다. 자동으로 돌아가면서 구워지는 양고기 꼬치를 소스에 찍어 먹었다. 원래 양꼬치는 맛이 있어서 특별하게 더 맛있다고 하기에는 그렇지만 역시 맛있다. 양꼬치를 다 먹고 숯불을 빼고 나서 홍탕과 백탕이 반반으로 나누어진 육수 냄비가 나왔다. 국물이 탁하고 진한 백탕은 고기나 야채로 만든 뽀얀 육수이며, 홍탕은 백탕 국물에 두반장과 초피가 들어가고 고추기름까지 넣어서 매운 정도를 선택할 수 있도록 순한맛, 매운맛. 아주 매운맛으로 나뉜다고 한다.

냄비에 육수가 끓기 시작하면서 빨간 육수와 하얀 육수에 고기와 야채를 골고루 넣었다. 접시에 야채가 떨어지자 예뻔이 손녀는 부지런히 셀프 코너에서 야채와 버섯을 가져온다.

눈으로 보아도 먹음직스럽게 끓는 모양이 식욕을 돋운다. 홍탕에 고기를 하나 건져서 소스를 찍어 맛을 보았다. 적당히 매콤한 맛에 향이 강하지 않아서 맛있다. 이번에는 백탕에 고기를 소스에 찍어 먹었다. 담백하고 시원한 맛이 개성 있는 맛이다. 양꼬치 구이 보다 훠거가 훨씬 맛있다. 늦은 저녁이라 정신 없이 먹다 보니 배가 부르다. 주위를 둘러보니 일층과 이층 홀은 만원이고 제법 많은 사람들이 들고 나간다.

도대체 이 집의 매출은 얼마나 될까? 갑자기 쌩뚱맞은 생각이 든다. 음식값도 만만치 않은 편인데 이렇게 많은 사람이 한 두 시간씩 대기를 하며 기다릴 정도이면, 대충 어림잡아서 계산을 해도 하루 매출이 천만 원 이상도 가능할 것 같다는 추측을 해 본다. 웬만한 기업수준 이상이다.

외식 소비가 활발하면 내수경제 활성화에 큰 도움이 된다. 하지만 한국인 종업원이 한 명도 없는 이 식당에서 외식으로 지출한 돈은 우리나라가 아닌 중국으로 몽땅 들어간다. 소문난 맛집에서 외식을 즐기는 것도 좋지만 이런 문제를 한 번쯤 생각해 보는 것도 필요하지 않을까? 후식으로 커피까지 마시고 나오면서 대기실에 늦은 시간까지 기다리고 있는 사람들을 보니 왠지 기분이 씁쓸하다.

감귤예찬

인도네시아에서 근무하던 어느 날 오후였다. 훌쩍하게 큰 망고나무 아래 놓여있는 대나무 평상에서 현지인 아이들과 여럿이 둘러앉아 이런저런 대화를 나누고 있을 때 '툭'하고 망고 하나가 땅에 떨어졌다. 잘 익은 망고는 스스로 떨어지는데 이렇게 떨어진 망고는 속된 말로 기똥차게 맛이 좋다.

한 아이가 잽싸게 뛰어가서 떨어진 망고를 주워 오더니 나에게 주면서 먹으라고 한다. 주인에게 주어야 하지 않느냐고 했더니 자연히 떨어진 망고는 아무나 주워 먹어도 괜찮다는 것이다.

"고마워! 잘 먹을 게!"

아이에게 한마디하고 망고 껍질을 깎기 시작했다. 갑자기 그들은 껍질을 깎는 내 손을 보고 탄성의 박수를 쳤다. 왜냐하면 그들은 우리가 연필을 깎을 때처럼 칼날의 방향을 몸 쪽에서 밖으로 향하여 깎다 보니 껍질이 토막토막 조각이 나는데, 껍질을 깎기 시작하면서부터 얇고 길게 균일한 두께로 돌려 깎는 나의 모습이 신기했던 것이다.

갑자기 옆에 있던 아이가 한국에도 망고가 있느냐고 묻는다.

“망고는 없어”

“두리안은 있어?”

“두리안도 없어”

“망고스틴은?”

“망고스틴도 없어”

그럼 바나나, 파파야, 아보카도, 코코넛, 쌀락, 뚜꾸, 잠부, 낭까... 아이가 과일 이름을 읊을 때 마다 계속해서 없다고 대답하는 내 얼굴을 쳐다보면서 계절이 달라 다른 종류의 과일이 있다는 것을 모르는 천진한 표정의 아이 얼굴이 떠오른다.

우리 말에 오곡백과(五穀百果)라는 말이 있다. 다섯 가지 곡식과 백가지 과일이라는 뜻으로 세상에는 수많은 곡식과 과일이 있다는 것을 의미하는 말이다.

제사상에 올리는 사과, 배, 감, 밤, 대추를 비롯해서 복숭아, 살구, 자두, 포도 등 많은 종류의 과일이 있지만 나는 특히 감귤을 좋아한다.

감귤은 품종에도 종류가 많아서 수입산 자몽이나 오렌지를 비롯해 제주도에서 생산되는 여러 종류의 감귤이 있다. 자몽이나 오렌지는 껍질이 두꺼워 껍질 벗기는 것이 쉽지 않지만 제주산 감귤은 껍질이 얇아서 손쉽게 벗길 수 있다.

대부분의 과일이 껍질을 벗기려면 반드시 칼이 있어야 나눔을 할 수 있고, 호도나 잣 같은 견과류는 도구를 이용하여 껍질을 깨고 알맹이를 꺼낼 수 있지만, 맨손으로 껍질을 벗기고 조각조각 나누어진 알맹이를 몇 명이라도 쉽게 나눔을 할 수 있는 감귤이야 말로 얼마나 고마운 과일인가? 창세기 1장에 하느님께서 만물을 창조하셨다고 하였으니 하느님의 기발한 착상과 섬세한 솜씨에 감탄하고 감사할 따름이다.

어느 과일보다 풍부한 비타민C를 함유하고 있는 감귤은 맛도 뛰어나고 껍질을 눌렀을 때 분산되는 액체는 스트레스 해소에 큰 도움이 된다고 한다. 잘게 썰어서 말린 껍질은 한방에서 진피(陳皮)라고 부르는 약재로 기침, 가래에 효능이 뛰어나고, 차(茶)로 다려서 마시기도 하는 감귤은 버릴 것이 하나도 없는 귀한 과일이다.

이토록 귀한 감귤이 그 동안에는 제주도에서만 재배되었지만 지금은 기후의 변화로 남해 곳곳에서도 재배가 되고 있다니 얼마나 다행인지 모른다. 칼이 없어도 쉽게 껍질을 벗기고 조각조각 나누어진 알맹이를 한 개씩 한 개씩 먹을 수 있는 새콤달콤한 감귤은 하나님이 창조하신 과일 중에서 최고의 작품인 것 같다.

어떻게 살 것인가?

저의 사무실 근처에 주상복합건물이 있습니다. 지하철 역과 연계되어있고 많은 점포들이 있습니다. 극장도 있고 맥도널드도 있는 임대료가 상당히 비싼 건물입니다. 근처에 있는 빌딩의 사무실에서 나오는 박스나 폐지를 한군데 모아놓으면 매일 오전에 폐지를 줍는 할아버지가 와서 가져갑니다. 건물 관리인 아저씨가 배려해서 이렇게 모아 두는 것입니다. 저의 회사도 많은 박스가 들고나기 때문에 빈 박스가 많이 나옵니다. 때로는 사용하지 않은 박스 묶음을 버리기도 합니다, 단종된 제품이나 잘못 인쇄된 박스인 경우 말입니다.

그런데 오늘 포스팅 제목을 '어떻게 살 것인가?'라고 써놓고 느닷없이 박스 이야기를 길게 한 이유가 있습니다. 폐지를 가져가는 할아버지의 이야기입니다.

할아버지는 제일 작은 평수도 20억이 넘는 고급 주상복합빌딩에 살고 계시어 폐지를 줍지 않고도 여유로운 인생을 살 수 있는 분인데 상상 밖의 모습으로 살고 있는 것입니다.

또 지난 11월에 2,000억 재산가가 6평짜리 컨테이너에서 살다가 돌아가신 기사가 신문에 보도된 적이 있습니다. 평당 1,6억원 땅 1,300평의 주인이었다고 하니 놀라지 않을 수 없었습니다. 과연 어떻게 사는 것이 잘 사는 것인가? 한 번 생각해보는 것은 어떻겠습니까?

이 이야기는 제가 운영하는 블로그 이웃님께서 올리신 글이다. 댓글에는 여러 의견이 올라와 있었다. 긍정적으로 좋게 생각하시는 분들이 있고, 부정적으로 좋지 않게 생각하시는 분들도 있고, 그분의 상황을 몰라서 판단 할 수가 없다는 분들 까지 다양한 의견이었다. 나는 부정적인 의견을 댓글에 올렸다. 왜냐하면 세상에는 평범한 사람들이 살아가면서 이해할 수 없는 행동을 하시는 분들이 있기 때문이다.

할아버지가 20억이 넘는 고급 주상 복합 아파트에 살고 계신다고 하셨지만 할아버지가 혼자 살고 계신지 아니면 자식들과 함께 살고 계신지 알 수가 없기에 두 가지 가정을 해 보았다.

첫 번째로 할아버지 혼자 또는 할머니와 두 분이 살고 계신다면 결론은 간단하다. 시가 20억이면 서울에서 가까운 수도권으로 옮긴다면 2~4채의 아파트를 구입할 수 있는 큰 액수로 일반적인 평범한 가정의 수준으로 생활을 한다고 해도 평생을 먹고 살 수 있는 충분한 금액이 된다.

두 번째로 아들이나 딸과 함께 살고 있을 경우를 생각해 보았다. 이 정도 고급 아파트에 살 정도라면 할아버지가 폐지를 줍지 않아도 경제적으로 힘든 일은 없을 것이다. 그러므로 할아버지가 폐지를 줍는 일은 경제적인 이유가 아니라는 판단이다. 그렇다면 할아버지는 당연히 폐지 줍는 일을 하면 안 되는 것이다. 왜냐하면 폐지를 줍는 다른 분들은 대부분이 경제적으로 어려우신 분들이라고 알고 있다. 그 분들은 다른 일을 할 만한 여건이 되지 못하여 폐지를 주워서 살림을 꾸려 나가려고 하루 종일 폐지를 줍는 것이다.

이런 분들의 삶의 터전을 할아버지가 빼앗는 것은 국내 굴지의 대기업에서 콩나물이나 두부 같은 사업에 손을 대서 힘들게 살아가는 영세 사업자의 영역을 침범하는 것과 같다는 생각이다.

세상에는 힘들게 살면서도 남을 돕는 분들이 많이 있다. 며칠 전에 울진 삼척 산불로 인하여 많은 이재민이 발생하였을 때 사회 각계각층에서 많은 기부활동이 이어졌다. 이 가부 중에는 넉넉지 못한 생활 속에서도 어려운 이웃을 돕는 아름다운 기부도 있다. 충남 서산시 사회복지과를 방문한 익명의 80대 어르신은 산불 피해지역에 써 달라며 그동안 요양보호사로 일하며 받은 급여를 조금씩 모은 것 이라고 하면서 10,249,522원을 기부했다는 보도가 있었다.

세상은 이렇게 어려운 사람을 도우며 더불어 사는 사회이다. 어떤 사연이 있는지 알 수 없지만 할아버지가 경제적인 문제가 아니라면 폐지를 줍는 일은 생계를 위하여 힘들게 살아가는 저소득 층 분에게 양보를 하시는 것이 옳을 것 같다.

두리안

어린이날과 석가탄신일 연휴를 이용하여 아들네 세 식구와 함께 캄보디아 여행 갔을 때 이야기이다.

대부분의 동남아 국가들이 그렇듯이 이곳 역시 날씨가 더워서 사람들은 낮보다 밤에 활동하기 때문에 해가 진 이후에 야시장이 번창하고 있다.

저녁을 먹은 후에 시내에 있는 야시장 구경을 나갔다. 야시장에는 기름에 튀기거나 숯불에 구운 각종 음식이 즐비하였다. 우리나라에서는 구경조차 할 수 없는 메뚜기, 거미, 뱀, 전갈 같이 신기한 음식들을 구경하다가 먹음직스런 음식이 눈에 띄면 한 개를 사서 다섯 명이 조금씩 맛을 보다가 우리 입맛에 맞는 음식은 한 개씩 더 사먹으며 식도락을 즐겼다.

열대 지방은 과일이 풍성하다. 즐비하게 늘어서있는 과일가게 중에서 제법 큰 과일가게에 들어가 구경을 하며 처음 보는 과일 맛을 볼 수 있느냐고 물었더니, 인상도 좋은 주인은 인심도 좋게 오케이라고 승낙을 하여 신나게 이것저것 맛을 보았는데 이 또한 재미가 쏠쏠하다.

열대 과일은 그 종류도 다양하지만 일년 내내 똑같은 과일이 나오는 것은 아니고 우리나라의 계절 과일이 있듯이 이곳의 과일도 시기별로 각각 다른 과일이 수확되는 것이다.

열대 과일 중에 맛이 가장 뛰어나서 과일의 황제 또는 과일의 왕이라고 불리는 두리안이 있다. 두리(duri)는 인도네시아어로 가시라는 뜻으로 표면에 큰 가시가 돋아있어서 붙여진 이름이다. 하지만 이렇게 맛이 뛰어난 두리안도 냄새가 고약해서 처음 접하는 사람들은 역겨운 냄새 때문에 쉽게 먹지 못하다가 한 개, 두 개 먹다 보면 그 맛에 흠뻑 빠져 버리게 된다.

두리안 3kg짜리 한 개와 손주가 맛있다고 하는 망고스틴을 샀다. 그런데 웃기는 것은 두리안은 냄새 때문에 호텔 반입이 금지되고 있어서 정문을 통과 할 때 들키지 않도록 조심해서 가지고 들어가야 한다는 것이다. 과일가게 아저씨는 포장해 달라는 말에 두리안을 절개하여 속 알맹이만 꺼내어 스티로폼 상자에 넣고, 냄새가 새어나가지 않도록 랩으로 꼼꼼하게 싸서 비닐봉지에 넣어 주었다. 코를 대고 맡아보아도 두리안 냄새가 나지 않았다.

내 돈 주고 자기나라 과일을 샀는데 도둑질한 물건처럼 눈치를 보며 호텔 문을 통과하면서 혹시라도 들키지 않을까 긴장이 되었다. 호텔 방에서 먹으면 문틈으로 냄새가 복도 쪽으로 새어나갈 것 같아서 발코

니에서 먹기로 했다. 처음 먹어보는 며늘아기가 코를 막으면서 도저히 못 먹겠다고 한다. "나도 두리안을 처음 먹었을 때 닭똥 냄새 같아서 먹지 못했는데 억지로라도 세 개만 먹어보라는 직원들 말에 용기를 내서 코를 막고 세 개를 먹고 나니까 고약한 냄새가 느껴지지 않고 진정한 두리안 맛에 흠뻑 빠지게 되었다."고 하였더니, 며늘아기는 얼굴을 찡그리며 한 개를 먹고, 두 개를 먹고, 세 개째 먹으면서 "아버님! 너무 맛있어요!" 하면서 계속 먹으며 세상에 이렇게 맛있는 과일이 있다는 것이 신기하다며 싱글벙글이다.

다음 날에도 하루 종일 무더위 속에서 관광을 하고 난 후에 저녁 식사를 마치고 야시장을 구경하다가 길가에서 팔고 있는 두리안을 본 며늘아기는 제일 큰 것을 한 개 고르더니 여기서 먹고 가지고 한다. 처음에는 냄새 때문에 못 먹겠다고 하더니 어느새 두리안 맛에 푹 빠져 버린 것이다.

두리안은 다른 과일에 비하여 가격이 비싸기 때문에 현지인들도 경제적인 여유가 없으면 쉽게 사먹기가 힘들어서 '며느리가 두리안 맛을 알게 되면 집안이 망한다'는 인도네시아 속담이 있다고 하였더니, 한국에 가면 먹고 싶어도 파는 곳이 없어서 사먹을 수 없기 때문에 집안 망할 염려는 없다며 사람들이 복잡하게 지나다니는 길거리에서 깔깔거리며 손가락에 묻은 두리안을 쪽쪽 빨아가면서 잘도 먹는다.

돌아오는 비행기 안에서 며늘아기는 아버님이 두리안 이야기를 하실 때 '뭐가 그렇게 맛있을까?' 하고 대수롭지 않게 들었는데 이제는 충분히 이해가 된다면서 두리안이 '과일 중에 황제'라는 말이 딱 맞는다며 기회가 되면 두리안을 먹으러 한번 더 와야겠다고 한다

잠들기 전에 기도

내가 어렸던 시절만 해도 아침에 동네에서 어르신을 만나게 되면 "밤새 안녕 하십니까?", "편안히 주무셨습니까?", "잘 주무셨습니까?" 같은 인사를 드리는 것이 일반적인 예절이었다. 그것은 노인들이 밤에 잠을 자는 사이에 좋지 않은 일이 많이 발생되기 때문이다.

며칠 전 아침 식사를 마치고 조간 신문을 읽고 있을 때 동창회 총무로부터 친구 A가 죽었다는 전화가 왔다. 여느 때처럼 친구는 어제도 동창회 사무실에 나와서 바둑과 장기를 두고 놀다 갔는데 밤 사이에 갑자기 죽었다는 것이다. 아내에게 친구 A가 죽었다는 전화라고 하니까 "그 양반 죽는 복을 잘 타고 났다"며 사람은 태어날 때도 잘 태어나야겠지만 죽을 때 고생 없이 죽는 것도 큰 복이라고 하였다.

요즘 들어서 부쩍 죽음에 대하여 많은 생각을 하게 된 것은 세 살 아래 동생이 췌장암으로 먼저 세상을 떠났고, 그 아래 동생이 위암으로 몇 년을 고생하다가 지난 연말 세상을 떠나면서 부터이다.

사람은 누구나 죽는다. 예전에 우리나라 사람들은 단명하여 60세까지 살면 장수를 누렸다고 환갑이라는 큰 잔치를 베풀면서 어르신께 경하를 하였고, 환갑이 지난 다음 해에는 진갑이라 하여 환갑잔치에는 미치지 않지만 생일보다는 성대하게 잔치를 치렀다.

그 후에는 70세 생일을 고희(古稀)라 하여 어느 때 보다 큰 잔치를 벌렸는데, 고희라는 의미는 당나라 때 두보(杜甫)의 시에 나오는 '인생칠십고래희(人生七十古來稀)'의 줄임말로 '삶에서 칠십은 드문 일이다'라는 뜻이다. 칠십까지 사는 사람이 많지 않아서 장수한 부모님을 경하하기 위하여 온 집안 내 가족친지와 동네 주민이 함께 즐기는 성대한 잔치를 치렀던 것이 시대가 변하여 자식의 나이가 환갑에 이르는 백세시대가 되면서 이 행사는 자연히 줄어들기 시작한 것이다.

'하나님 오늘도 하루 잘 살고 죽습니다. 내일 아침 잊지 말고 깨워주십시오.' 나태주 시인의 '잠들기 전 기도'라는 시(詩)이다. 나태주 시인은 매일 밤마다 잠들기 전에 오늘 하루를 잘 살았다는 감사 기도를 드리고 다음 날 아침 눈을 뜨면 '아! 하나님이 정말 나를 깨워주셨구나!' 하는 감사한 마음으로 새로운 하루를 사셨나 보다.

내 생각은 다르다. 이제 나이 팔십이 넘도록 살아보니 인생은 결코 짧은 세월이 아니다. 오늘 잠 들었다가 내일 아침에 일어나지 못하면, 오늘이 내 생애의 마지막 날이 될 것이다. 그만큼 오늘은 인생에서 중요한 날이기에 최선을 다하여 열심히 살려고 한다. 하지만 영원히 살 수는 없다. 어차피 떠날 것이라면 긴 병에 효자 없다는 말처럼 병들지 말고 고통 없이 떠나면 좋겠다는 나의 욕심이다.

나는 가끔씩 잠들기 전에 나태주님의 시를 떠올리며 "오늘 하루도 열심히 살았습니다. 내일 아침에는 부디 눈을 뜨지 않고 하나님 곁으로 가게 해 주십시오."라고 간절한 마음으로 잠자리에 든다. 그렇게 떠날 수만 있으면 죽는 복을 타고난 것이고, 자식들에게 피해를 주지 않고 싶은 부모의 마음이기 때문이다.

층간소음

몇 년 전 하남시에서 같은 아파트에 살고 있는 30대 남성이 층간 소음 문제로 갈등을 빚던 윗집 노부부를 흉기로 살해한 사건이 있었다.

보도에 의하면 범인은 병환 중인 어머니를 간병하며 정신적으로 힘든 시간을 보내는 상태에서 위층에 사는 노인의 손자들이 뛰는 층간 소음으로 극심한 스트레스를 받아 왔는데, 몇 번이나 항의를 하였지만 "알았다"고 대답만 해놓고 나아지지 않아서 번번히 무시를 당하는 것 같은 기분에 범행을 저지르게 되었다고 한다.

이 사건은 층간 소음의 극단적인 사례지만 아파트에 살고 있는 사람들은 층간 소음 문제로 크고 작은 일을 겪어가며 살아가고 있는 것이다. 이같이 아파트에서 층간 소음 문제가 끊임없이 발생되는 이유가 어디에 있을까?

우리나라 대부분의 아파트를 건축할 때 '벽식 구조'로 공사하는 것이 층간 소음에 취약한 근본적인 문제가 된다는 것을 인터넷에서 알게 되었다. 벽식 구조는 슬래브와 벽의 구조가 면(面)과 면(面)으로 만나서 일체화 된 형태이므로 슬래브에서 진동이 울리면 아무리 조심하더라도 아래층에 큰 소리로 전달되어 층간 소음이 생길 수 밖에 없다는 것이다.

이러한 사실을 알면서도 건설업자들이 계속해서 벽식 구조로 짓는 이유는 기둥식 구조로 지을 때보다 공사비가 훨씬 저렴하기 때문이며, 아파트를 빨리 지어야 했던 1980년대 후반부터 벽식 구조가 보편화 되었다고 한다.

얼마 전의 일이다. 현관 벨이 울려서 비디오폰을 확인해 보니 모르는 젊은 여인이다. 누구냐고 물으며 문을 열었다. 위층에 새로 이사 온 사람이라고 인사를 하면서 어린 아이가 있어서 혹시 시끄러운 경우가 있더라도 잘 좀 부탁한다며 작은 케익상자 하나를 전해주는 것이다. 뜻밖의 선물을 받고 '아이들이 얼마나 설쳐대면 잘 봐달라고 뇌물(?)까지 가져왔을까?'하는 우려도 있었지만, 그 후 특별하게 소음을 느끼지 못하면서 지내왔다.

그런데 어제 또 다시 윗집 여인이 찾아왔다. "오늘 밤 시아버님 기제사가 되어서 손님들이 오시기 때문에 시끄럽더라도 이해하여 주시기 바란다."며 약밥 한 접시를 가져온 것이다. 선물을 가져오지 않아도 괜찮다고 하였지만 평상시에도 아이들의 시끄러운 소리를 이해하여 주셔서 늘 감사하게 생각하고 있다는 것이다. 정말 좋은 사람이 위층에 살고 있어서 얼마나 다행인지 모른다.

여러 세대가 함께 거주하는 공동주택에서 우리집 위층같이 이해하고 배려하는 마음으로 살아간다면 층간 소음이 발생하더라도 큰 문제가 없겠지만, 근본적으로 층간 소음이 발생하지 않도록 건축 방식부터 개선하는 것이 시급하다는 생각이다.

외국에서는 값싼 서민 아파트나 기숙사 같은 경우를 제외하고는 모든 아파트가 기둥식 철근 콘크리트 방식으로 건축을 하여 최대한으로 층간 소음을 줄인다고 한다. 우리나라도 국민소득 3만불 시대의 선진국에 접어들었다. 이제는 층간 소음 없는 아파트에서 스트레스를 받지 않고 삶의 질이 향상된 환경 속에 살았으면 좋겠다.

스위스에 가자

어느 날 인터넷에서 인간의 죽음에 관련된 새로운 정보를 우연히 발견하였다.

지난해 5월 치명적인 질환 없이 건강한 상태에서 안락사를 선택한 호주의 식물학자 데이비드 구달 박사의 이야기이다. 데이비드 구달 박사는 생태학과 환경분야의 저명한 학자로 대학에서 66세로 은퇴를 한 후에도 왕성한 활동으로 100세에도 논문을 발표하였으며, 99세에 의사로부터 시력과 청력은 약해졌지만 다른 질병이 없다는 진단을 받을 만큼 건강하게 살았다고 한다.

건강한 삶을 살던 그가 104번째 생일을 맞이하여 기자 회견을 갖고 "몇 년 전까지 논문을 발표할 정도로 활동을 하였지만 이제는 고령으로 삶의 질이 악화되어 더 이상 생활 속에서 기쁨을 찾을 수 없어 스스로 생의 마지막을 결정하기로 했다."고 발표하였다. 자식들 역시 아버지는 후회 없는 멋진 삶을 사셨기에 어떤 선택을 하든지 그것은 아버지에게 달려있다고 그의 뜻을 따르기로 하였다.

그러나 이런 뜻을 가지고 있었지만 호주를 포함한 대부분의 국가에서 안락사를 허용하지 않기 때문에 시한부 환자가 아니라도 안락사를 허용하는 스위스에서 두 명의 의사를 만나 자신의 의사를 밝히고, 스위스 '라이프 써클 영원한 정신 재단 클리닉'에서 2018년 5월 10일 치사량이 넘는 정맥 주사를 맞고 삶을 마감하였다.

그는 눈물로 가득한 장례식장을 거부하고 온 가족이 모여있는 자리에서 평소에 즐겨 듣던 베토벤 교향곡 9번 '환희의 송가'를 흥얼거리면서 눈을 감았고 시신은 의료 연구용으로 기증을 하였다.

안락사는 의사의 도움으로 약물을 주입하여 죽음을 앞당기는 적극적인 방법과 치료 효과가 없이 생명만 연장하는 연명치료를 중단하여 자연적 죽음을 받아들이거나 회복 가능성이 없는 말기 환자의 고통을 덜어 준다는 의미의 소극적인 방법으로 구분 할 수 있다.

세계에서 적극적인 안락사가 허용된 나라는 스위스, 네덜란드, 벨기에, 록셈부르크와 미국의 일부 주에 극한 되지만 이 중에서 외국인의 안락사를 허용한 나라는 스위스가 유일하다.

한국인 중에는 2016년과 2018년에 각각 1명씩 두 명이 스위스 의료진의 도움을 받아 생을 마감 하였다고 한다. 이들은 자발적인 안락사를 지원하는 국제단체 디그니타스(DIGNITAS)의 도움을 받았고, 이 같은 방법으로 안락사 준비를 하고 있는 한국인이 100여명에 달한다는 소식도 전해지고 있다.

한국은 소극적인 안락사에 해당하는 연명의료결정법(존엄사법)이 시행되어 35,000여명이 연명치료를 중단하였고 10만명이 넘는 사람들이 사전연명의료의향서를 작성하였다고 한다.

2017년도 자료에 의하면 우리나라는 OECD 국가 중에 노인의 자살률이 제일 높다는 불명예를 가지고 있다. 왜 그렇게 자살률이 높을까? 자살의 동기는 여러 가지가 있겠지만 건강상의 문제로 신체의 질병과 정신적 우울증이 제일 많았고, 가족에 대한 부담감과 경제적인 어려움이 큰 영향을 미친다고 한다.

사람은 누구나 죽지만 자신의 신변 정리를 할 시간을 가지고 고통 없이 행복하게 죽을 수만 있다면 구태여 자살과 같은 극단적인 선택을 하지 않아도 될 것이다.

자신이 '죽음을 선택할 권리'를 인간의 기본권으로 본다면 백세 시대를 살아가는 현대에 데이비드 구달 박사의 선택을 기점으로 품위 있고 존엄한 죽음을 위하여 좀더 적극적으로 공론화 할 필요가 요구된다고 본다.

다음 이야기는 100세가 넘도록 현역시절과 같이 글을 쓰면서 강연을 하고 계시는 김형석 교수님이 최근에 출판한 '백 년을 살아보니' 내용 중에 일부이다.

'어느 언론 기관에서 백 명의 노인에게 오래 살고 싶으냐는 질문에 90%가 그렇다고 대답을 하였다. 다시 건강하지 않아도 90세까지 살고 싶으냐고 물었더니 그렇다고 대답한 사람은 18%에 불과 하다고 한다. 아마도 주변에서 건강이 좋지 않아서 힘들게 노후를 보내고 계신 분들을 상상해 보았던 모양이다.'

그만큼 건강하지 않고 병마에 시달리거나 경제적으로 어려운 생활을 하면서 오래 사는 것을 원하는 사람은 많지 않은 것이다.

며칠 전에 고등학교 절친 A와 점심을 나누면서 구달 박사가 삶을 마감한 이야기를 하며 구달 박사의 선택을 따르고 싶다고 하였더니, 한동안 생각에 잠기던 친구는 현실적으로 괜찮은 방법 같다며 자기도 긍정적으로 검토해 보겠다고 하였다.

나이 팔십을 전후하는 우리 또래들은 초등학교 저학년에 전쟁을 겪었고, 고등학교 시절에는 4.19 학생 혁명의 주역들 이었으며, 산업화 전선에 앞장서서 한강의 기적을 이룩해 놓은 조국 근대화의 기수들이다. 이제 어느 정도 살만큼 살아 온 나이가 되었으니 삶을 마감하는 새로운 제도에 앞장서서 도전하는 것도 의미가 있지 않을까? 친구들아! 아름다운 삶의 졸업식을 위하여 우리 함께 스위스에 가자!

제 4 부 어느 마트 이야기

아침 운동

새벽 4시면 어김없이 아침 운동을 나간다. 나이든 사람한테는 걷기 운동이 제일 적합하다고 하여 매일 1시간씩 걷는다. 지금 살고 있는 아파트 가까이 있는 탄천 변에 조성된 산책길을 걷다 보면 흐르는 물소리와 주변 숲에서 들려오는 새소리가 기분을 한결 상쾌하게 한다.

그래서인지 이른 시간이지만 많은 사람들이 걷기 운동을 하는데, 젊은 사람은 눈에 띄지 않고 대부분 나이 들어 보이는 중년이나 노인이다. 젊은 사람들은 직장이나 학교를 가기 때문에 일찍 일어나는 것이 힘들거나 아직까지 건강에 대한 절실함을 느끼지 못하는 것이 아닐까 싶다.

여러 사람들의 걷는 모습을 살펴보면 재미있다. 팔을 L자 형으로 하고 빠른 속도로 걷는 사람, 팔을 가로 방향으로 휘저으며 걷는 사람, 무릎이 벌어져서 어기적 거리는 사람, 유난히 엉덩이를 실룩거리며 몸을 흔들며 걷는 사람 등 모두 제각각이다. 나는 군대 생활을 하던 JSA 헌병 시절에 의장 행사를 하며 걷던 자세로 어깨를 펴고 계란 한 개를 쥔 것 같은 느낌으로 손을 쥐고, 정면을 바라보고, 시계 추가 움직이듯 씩씩하게 팔을 흔들며 보폭을 넓게 하여 빠른 걸음으로 걷도록 노력한다.

아침 운동은 인도네시아 근무를 하면서부터 시작하였으니 30년이 훨씬 넘는다. 국민의 90% 이상이 무슬림인 그들은 하루에 다섯 번씩 메카를 향하며 기도를 하는데, 첫 번째 기도는 해가 뜨기 전 오전 4시이다. 이 시간이 되면 마을 사원에서 예배시간을 알리는 '알라후 아크바르(알라는 위대하다)'라는 '아단(Adhan)'이 확성기를 통하여 울려 퍼진다. 이 소리에 잠을 깨면 다시 잠을 자기도 뭐해서 시작한 것이 조깅(jogging)이다. 조깅은 건강을 유지하기 위하여 자기 몸에 알맞은 속도로 천천히 달리는 유산소 운동이다.

학교 다닐 때 단거리만 뛰어 보았지 장거리를 뛰어 본 적이 없다보니 조깅을 시작한 첫날에는 얼마 뛰지 못하고 숨이 차서 길가에 주저앉았다. 한참을 쉬면서 주변을 둘러 보다가 도로변에 100m간격으로 거리표시를 한 시멘트 기둥의 표지석을 발견하고, 다음 날부터 거리를 체크하면서 매일 100m씩 늘려가며 뛰기 시작하였다. 100m씩 늘리는 것은 크게 부담이 되지 않아서 꾸준히 달리다 보니 어느새 5km를 힘들지 않고 달리게 되었다. 아마도 마라톤 선수들이 이런 주법으로 연습을 하면서 풀 코스를 달릴 수 있는 것 같다.

이곳에서 조깅을 하면서 우리나라에서는 경험할 수 없는 재미난 추억도 있다. 여름휴가를 이용하여 한국인 직원들과 함께 발리로 여행을 갔을 때이다. 아무리 여행 중 이어도 새벽 조깅을 하기 위하여 호텔에서 가까운 구따 해변(Kuta beach)으로 나갔다.

세계적인 관광지답게 이른 시간이지만 해변을 달리는 사람이 제법 많았다. 나도 그들의 틈에서 바닷가를 달리기 시작하였다. 파도가 밀려오면서 쓸려 내려간 물가의 모래사장은 잘 부풀어오른 카스텔라처럼 폭신하고 부드러운 촉감이 발바닥에 느껴졌다. 특히 풍만한 육체에 비키니 차림의 젊은 서양 여자들과 함께 달리는 기분은 경험해 보지 못한 즐거움이었다.

한번은 오지마을에 있었을 때 어둠이 걷히지 않은 도로를 뛰다가 길 복판에서 장난을 치고 있는 야생 원숭이 떼를 만난 적이 있었다. 원숭이 무리는 어림잡아 이십여 마리 이상은 될 것 같은데 '혹시나 달려들지 않을까?'하는 불안감에 어떻게 대처를 해야 할지 몰라서 잠시 멈춰서서 있는데, 다행히 맞은편에서 오토바이 한 대가 요란한 소리를 내며 달려오자 원숭이들이 기겁을 하고 길 옆 가로수 위로 잽싸게 도망가는 바람에 다행스럽게 계속해서 달리기를 할 수 있었다.

퇴직을 하고 귀국을 해서도 조깅은 계속하였다. 그러던 어느 날 발목에 무리가 갔는지 발을 디딜 때 마다 통증이 심하여 병원에 갔더니, 관절에 무리가 심할 경우 퇴행성 관절염이 오는 경우도 있다면서 나이 드신 분들은 달리기보다 걷는 것이 좋다는 의사의 권유에 조깅을 중단하고 걷기운동을 시작한 것이다.

이제는 새벽에 걷는 운동이 생활의 일부가 되었다. 어둠 속에서 걷기를 시작하여 밝아오는 동녘의 여명을 바라보며 하루를 시작하는 기분은 정말 상쾌하다.

오늘도 어김없이 아침 운동을 나갔다. 그런데 뇌졸중으로 인한 후유증으로 걷는 것이 불편해 보였던 아저씨가 어제부터 보이지 않는다. 매일 만나던 사람이 안보이면 혹시 편찮으신 것은 아닌지 걱정이 된다. 특히 정상적이 아니고 불편한 몸으로 힘들게 걷기 때문에 더욱 걱정스럽다. 누구한테 물어볼 사람도 없고 어디 사는 줄도 모르니 그냥 별일 없기를 바라는 마음뿐이다.

어느 마트 이야기

우리 동네에 A라는 마트가 있다. 동네 슈퍼마켓으로는 제법 큰 편인데 회원 가입을 하면 매일 아침마다 그날의 세일 상품을 카톡으로 보내주기 때문에 편리하게 이용할 수 있다.

하루는 세일 품목 중에 바나나 한 송이에 천원, 대파 한 단에 천원이다. 속된 말로 미끼 상품이지만 믿을 수 없는 가격이어서 상품의 품질이 떨어지지 않을까 염려를 하며 서둘러서 마트로 향했다.

매장 안은 한마디로 난장판이었다. 바나나를 사려고 늘어선 줄과 대파를 사려고 늘어선 줄이 카트와 함께 뒤섞여서 발걸음 조차 옮기는 것이 힘든 상황이었다. 6.25전쟁 직후에 구호 물자 배급을 받듯이 북새통을 이루면서 종업원이 집어 주는 대로 바나나 한 송이와 대파 한 단을 받았다. 계산대에 늘어선 줄도 만만치 않았지만 공짜나 다름없이 싸게 샀다는 행복감에 웃음이 절로 나왔다.

다음날은 고구마를 1인 2kg 한정으로 평상시에 절반 가격의 세일을 한다는 문자가 왔다. 고구마는 아침 식사 대용으로 매일 먹기 때문에 아내와 함께 갔다. 둘이 사면 4kg를 살 수 있기 때문이다. 오늘은 주차장도 만차가 되어서 들어가지 못한 승용차들이 자동차 도로까지 줄지어 서있고, 어제보다 많은 사람들이 고구마를 사려고 매장 밖까지 줄을 길게 서서 차례가 오기를 기다리고 있었다. 올해 유난히 비싼 고구마를 절반 가격으로 사려고 집집마다 안 나온 집이 없는 것 같다.

그 다음 날은 돼지 생고기가 세 근에 만원이고, 그 다음 날은 달걀이 30개 한 판에 삼천 원이었다. 이렇게 미친 듯이 싼 가격으로 판매를 하는 데는 숨겨진 이유가 있었다. 몇 일 전에 A마트에서 얼마 떨어지지 않은 곳에 B마트가 새로 오픈 한 것이다. 아마도 죽기 살기로 경쟁을 해보자는 의미가 아닐까 싶다.

매일같이 믿을 수 없는 가격으로 세일을 하는 A마켓에 대하여 B마트는 어떻게 대응하는지 궁금하여 발걸음을 옮겼다. 신규 오픈을 하면 통상적으로 많은 사람들이 북적이게 마련이지만 만국기가 휘날리는 마트 앞에서 춤을 추는 풍선 인형의 모습이 애처롭게 느껴질 정도로 한산하였다.

A마트의 미끼상품 세일은 한 달이 지나고, 두 달이 지나도 계속되더니 세 달이 지나면서 중단되었다. B마트가 문을 닫은 것이다. 세 달 동안 천 원으로 팔던 바나나가 사천 원으로 오르고, 삼천 원이던 달걀 한 판이 칠천 원이 되었다.

옛날부터 장사꾼의 시샘은 많다고 들었지만 오랫동안 A마트 혼자 독점을 하다가 갑자기 B마트가 개업을 하니까 지나친 경쟁으로 반값 세일을 강행한 것이다.

소비자들이야 싼값으로 물건을 살 수 있어서 좋지만 큰 희망을 가지고 개업을 한 B마트의 입장으로는 3개월만에 문을 닫아야 하는 심정이 얼마나 가슴 아픈 일인가?

오늘도 문이 닫힌 B마트 앞을 지나면서 '점포임대 합니다'라고 쓰여진 현수막을 바라보니 기분이 참참하다.

깜박 깜박

평생교육원에서 오카리나를 배울 때 일이다. 오카리나 교실은 옛날 초등학교 때처럼 둘이서 같이 앉는 2인용 책상인데 옆자리에 앉은 부인의 나이는 일곱 살이나 아래였다. 주위 분들은 젊은 짝꿍을 만났다고 한턱 내라는 짓궂은 농담도 했었다. 그런데 부인은 개강하는 날 지각을 하더니 그 후에도 결석과 지각을 자주하여 책임감이 없는 사람이라고 실망을 했는데, 우연한 기회에 건망증이 심하여 수업 있는 날을 잊어버린다는 것을 알게 되었다.

"최 여사님! 교육이 있는 날 스마트폰에 모닝 콜을 해 놓으면 어떻겠습니까?"라고 하였더니 좋은 생각이라며 그렇게 하겠다고 하였다. 그런데 다음 시간에도 또 결석을 한 것이다. 어쩐 일이냐고 물으니 모닝 콜이 울렸는데 왜 울렸는지 몰라서 그냥 꺼버렸다는 것이다. 그 후 수업 있는 날 아침에 전화를 해주었는데 그 분의 자존심을 상하게 하는 것 같아서 몇 번하다가 중단하였다.

부인에 비하면 나의 증상은 별것도 아니지만 그래도 가끔씩 깜박깜박 때문에 불편을 느낄 때가 있다.

"여보! 외출하고 돌아오는 길에 마트에 들러서 찬거리 좀 사다 줘요"

"뭘 사오면 되요?"

메모지를 꺼내어 사 오라는 품목을 적기 시작했다.

"크고 단단한 두부 한 모하고 콩나물, 느타리버섯과 새송이버섯, 빨강 파프리카와 노랑 파프리카를 1개씩 사다 주세요"

열심히 적은 메모지를 포켓에 넣으며 현관을 나서는데,

"여보! 깜빡 했는데 꽃소금도 작은 봉지 한 개만 사다주세요"

"알았어요! 갔다 올게요!"

일을 마치고 마트에 들러서 메모지에 적혀있는 물건을 하나 하나 체크하면서 빠짐없이 사가지고 돌아왔다.

"수고했어요! 그런데 꽃소금이 없네요!"

'앗 차! 메모지에 적어놓지 않아서 깜빡 했군...'

"다시 가서 사 올 게요"

가끔씩 아내의 마트 심부름을 할 때면 사야 할 물건들은 적어가지만 어쩌다가 그냥 가다 보면 오늘 같은 실수를 종종 하게 되는 것이다.

하루는 저녁 나절에 스마트폰을 열어 보았더니 친구 H로부터 부재중 전화가 세 통화나 와있었다. 평상시에 전화가 없던 친구여서 무슨 일이 생긴 것이 아닐까? 허겁지겁 전화를 걸어서 무슨 일이 있느냐고 물었더니 "왜 이렇게 전화를 받지 않느냐!"고 호통을 치는 것이다. 사실은 3개월 마다 정기적으로 혈압 검사를 받으러 병원에 다녀오면서 진동모드로 바꾸어 놓은 것을 복원시키지 않고 그대로 두었기 때문이었다. “그래! 미안하게 됐는데 무슨 일이 있느냐?”고 물었더니 55년 전에 미국으로 이민 간 동창 친구 C가 한국에 다니러 왔는데 나를 만나고 싶다고 연락해 달라는 것이다.

그런데 이상한 일이 있다. 퇴직을 하고 시간이 지나면서 걸려오는 전화가 점점 줄어들더니 최근에는 광고나 스펨 신고된 전화가 대부분이고, 모처럼 받아야 하는 중요한 전화는 오늘처럼 진동으로 해놓고 받지 못하는 일이 종종 생기는 것이다.

우리나라 65세 이상 노인 중에 절반 이상이 일상에서 ‘깜박깜박’을 경험하였다는 조사결과가 있듯이 나이가 들어서 건망증이 생기는 것은 누구에게나 올 수 있다는 것이다.

그렇다면 건망증이란 무엇일까? 건망증은 지속적인 스트레스와 긴장이 뇌세포의 피로를 촉진시켜 발생 할 수 있지만 특별한 질환에 의하여 발생하는 경우는 드물고, 노화로 인한 기억장애로 머릿속에 저장되어 있는 기억을 꺼내는 작동이 원활하지 못해서 생기는 일종의 뇌기능의 착오로 발생되는 것이다. 그래서 어떤 지극이나 힌트를 주면 쉽게 기억해 낼 수 있는 것이 건망증이고 다른 인지능력에는 영향을 미치지 않는다는 것이다.

음식물을 골고루 섭취하고, 잠을 충분히 자고, 긍정적인 생각을 가지고, 머리를 계속 쓰면서 운동을 꾸준히 하라는 의사 선생님의 권장대로 관리를 하면 건망증은 이겨낼 수 있다고 한다. 깜빡깜빡 실수를 하는 것은 늙었기 때문에 당연한 것이다.

"친구들아! 우리 모두 건강하게 살자!"

고무 다라이

젊은 시절 단독주택에서 살던 때만해도 어느 집이나 우물가 또는 수도꼭지 아래에 물받이 용으로 고무 다라이가 있었다. 다라이는 일본어의 대야라는 뜻으로 그 모양이나 크기가 다양하여 작은 대야에서부터 어른이 목욕할 수 있는 큰 통까지 있다 보니 집집마다 없는 집이 없을 정도로 생활에 꼭 필요한 물건이었다. 특히 김장을 할 때 버무림 용기로 필수적이었다.

고무 다라이의 재질은 PVC로 폐비닐이나 폐플라스틱을 녹여서 재활용 소재를 사용하며, 염료를 넣어서 적갈색을 띄우고, 어느 정도 몰랑몰랑해서 일반 플라스틱 제품보다 깨지지 않아 수명이 오래가는 장점이 있다. 이런 고무 다라이가 요즘에는 찾아보기 어렵게 자취를 감추었는데 김장을 하지 않는 젊은 주부들이 늘어나면서 그 수효가 감소된 것 같다.

우리 집에는 아주 오래된 붉은색 고무 다라이가 한 개있다. 이 고무다라이는 결혼을 하고 처음으로 김장을 할 때 구입하였으니까 대략 50

년은 된다. 이토록 오래된 다라이는 아이들이 태어나면서 목욕시킬 때 사용했지만 아이들이 커가면서 사용하지 않게 되었고, 베란다 창고에 넣어 두었다가 김장할 때만 사용을 하다 보니 일 년에 한 번 제 역할을 하는 셈이다.

그런데 지난 가을 김장을 하면서 속을 버무리던 아내가 "다라이가 새는 것 같다"고 하여 살펴보니 김치국물이 제법 흘러나오고 있었다. 김장을 마치고 자세히 보니 바닥에 20cm정도로 길게 금이 가 있었다. 한 마디로 깨진 것이다. "이걸 어쩌나! 이제 버려야 할 때가 왔네" 너무 오랫동안 사용을 해서 아쉬움은 없지만 그래도 왠지 미련이 남았고, 수리를 하면 될 것 같아서 해결 방법을 찾고 있었다.

몇 일 전 일이다. 외출을 하려고 아파트 현관문을 나서는데 입구에 공사 폐기물을 실은 1톤 트럭 한 대가 주차해 있었다. '어느 집에서 수리를 하나구나!'하며 무심코 지나다가 폐기물 한 쪽에 비닐장판 조각이 눈에 띄었다. '아! 저것이면 딱 이다!' 그동안 다라이 바닥에 비닐장판을 오려 붙이면 될 것 같아서 비닐장판을 구입하러 다녀보았지만 한 롤 기준으로 팔고 있을 뿐 조금씩 잘라서 파는 곳을 찾지 못하여 무엇으로 대체할지 궁리하고 있던 중이었다.

'트럭 주인을 만나서 물어보자!' 경비 아저씨한테 몇 호에서 공사를 하느냐고 물었더니 우리 동 1105호에서 내부 수리 중이라고 한다. 엘리베이터를 타고 올라가서 공사를 하고 계신 사장님께 트럭에 있는 비닐장판을 조금만 얻을 수 있느냐고 물었더니 "어차피 버릴 것 이니까 필요하시면 가지고 가셔라"고 쾌히 승낙을 하였다. 아파트에서 비닐장판을 사용하는 집이 흔치 않은데 베란다 화분 밑에 깔았던 것이라고 한다.

비닐장판은 낡고 지저분하지만 하이타이를 뿌리고 솔로 싹싹 문지르니 깨끗하게 닦이면서 제법 쓸만하다. 금이 간 사이즈에 알맞은 냄비 뚜껑을 대고 원을 그리고 조심스럽게 잘랐다. 다라이를 엎어 놓고 바닥에 강력본드를 골고루 바른 후에 동그랗게 자른 비닐 장판을 접착시켰다. 완벽하게 수리가 된 것이다. 이 정도면 우리 부부가 죽을 때까지 끄떡 없이 쓸 것 같다. "여보! 이것 좀 봐요!" 은근히 자랑을 하려고 큰 소리로 아내를 불렀다. "와! 아주 멋지게 잘 됐다"며 크게 웃는다. 다라이를 버리지 못한 것은 파는 곳이 없어서 새로 구입하기가 쉽지 않은 점도 있지만 우리의 추억이 담겨있기에 더욱 애착이 가는 것이다.

'쓰레기도 재활용하면 자원이 된다'는 구호가 실감이 난다

멸 치

멸치는 크기에 따라 요리 방법이 다르고 가격도 차이가 많다. 하얀 몸에 눈만 붙어 있는 아주 작은 자멸은 볶아서 주먹밥에 넣으면 좋고, 조금 큰 소멸은 어묵이나 꽈리고추를 넣고 볶아서 반찬으로 만들어 학교 다닐 때 도시락 반찬의 단골 메뉴였으며, 고주바라고 하는 중간 크기의 멸치는 가난한 서민들이 소주 한 잔 하면서 고추장을 찍어먹는 안주로 사랑을 받고, 가장 큰 대멸은 잔치국수를 비롯해서 많은 음식의 국물을 우려내는데 가장 좋은 조미료 역할을 한다.

우리 집은 중간 크기 멸치를 기름을 두르지 않은 팬에서 볶아두고 매일 아침 식사 때 견과류와 함께 조금씩 먹는다. 그렇다 보니 1.5kg 한 상자를 구입하면 대략 두 달에서 석 달 사이면 다 먹는데, 품질 좋은 멸치를 도매가로 살 수 있는 서울 중부시장에서 주로 구입을 하였다. 한 번은 경동시장으로 인삼을 사러 갔던 길에 건어물 상가를 구경하다가 품질이 좋은 멸치를 발견하고 가격을 물어 보았더니 생각했던 것 보다 비싸지 않고 주인 아주머니의 서글서글한 성격이 부담스럽지 앉아서 흥정을 하기 시작하였다.

“사장님! 제가 아주 먼데서 왔는데 싸게 주면 단골로 계속 오겠다”고 너스레를 떨었더니, 멀리서 왔으면 부산에서 왔느냐고 묻는다. 그보다는 가까운 강원도 춘천에서 왔다고 하였더니 자기 아들이 춘천 한림대학에 다니고 있다며 반가워 하는 것이다. 참으로 별별 연고까지 갖다붙여서 인연을 만들어 단골이 된지도 몇 년이 되었다.

요즘에는 많은 사람들이 시장보다 마트를 이용하지만 마트는 가격표가 한 번 붙으면 세일을 하지 않는 한 가격을 깎을 수 없지만, 시장은 아직까지 정이 남아 있어서 단골에게는 값도 싸게 해주고 믿을 수 있는 상품을 살 수 있어 나이 드신 분들이 많이 이용하고 있다.

지난해 춘천을 떠나 지금 사는 곳으로 이사를 왔지만 아주머니는 지금도 춘천 할아버지라고 부르면서 돌아가는 전철에서 심심풀이로 먹으라고 오징어 채를 한 움큼 비닐 봉지에 넣어주면서 따뜻한 인정을 베풀어 준다.

얼마 전 부산에 사시는 사돈댁에서 멸치 한 상자를 택배로 보내 왔다. 정성스럽게 포장된 박스를 열어 보니 보통 멸치가 아닌 죽방 멸치였다. 죽방 멸치는 일반 멸치처럼 그물을 사용하여 잡지 않는다. 대나무로 만든 부채꼴 모양의 울타리 안으로 들어 온 멸치를 잡아서 비늘이나 몸체에 손상이 없도록 건조시켜 꼬부라지지 않고 자연 그대로의 은빛이 감도는 일정한 크기만 엄선한 최고급 멸치이다.

멸치젓은 김장에 꼭 필요한 양념이 되고, 일반적으로 똥이라 부르는 까만 색의 내장(內臟)에는 칼슘은 물론 비타민과 필수 아미노산 등이 많이 들어 있어서 머리 떼고, 똥 빼고 먹으면 칼슘이 없는 단백질만 섭취하게 되는 것으로 통째로 먹는 것이 좋다고 한다.

멸치는 작고 볼품이 없어도 뼈대가 있는 척추동물(脊椎動物)이다. 세상 이치가 겉보기로 판단해서는 안 된다는 교훈을 가르쳐주는 멸치를 모든 사람들이 많이 먹고 건강하였으면 좋겠다.

귀한 죽방 멸치를 보내주신 사돈댁께도 다시 한번 감사 드린다.

아버지의 자리

우리 민족은 예로부터 효를 중요시하여 신체발부 수지부모(身體髮膚受之父母)라고 했다. 이 말은 '신체와 머리카락과 수염을 포함하여 모든 육체는 부모로부터 받은 것이니 훼손하지 않음이 효의 시작'이란 뜻이다. 머리와 수염을 자르지 않는 것이 어떻게 효가 되는 것인지 쉽게 받아들일 수 없지만 부모에게서 받은 몸뚱이뿐만 아니라 행동이나 정신까지 포함해서 깨끗하고 단정하게 하는 것이 당시의 정신기준이었다.

부모의 뜻을 헤아려 실천하고, 부모를 기쁘게 해 드리고, 부모가 편안한 마음으로 지낼 수 있도록 행동하고, 조석으로 문안을 드리며, 후세에 이름을 떨쳐 부모를 영광되게 잘 모시는 것이 효도라고 했다.

효의 기본은 윤리이고 부모에게 해야 할 의무이다. 부모가 자식을 낳고 기른 은혜는 절대적이고 무한하여 '하늘보다 높고 바다보다 깊다.'는 것이 효의 특징이고, 부모가 사망했다고 은혜가 없어지는 것이 아니라 조상으로부터 은혜를 받는다는 관념으로 제사를 봉양하는 것이다.

이렇게 효를 기본으로 부모님과 함께 살아 온 가족관계가 핵가족으로 변하면서 결혼을 하지 않겠다는 비혼 족과 결혼을 해도 아이를 낳지 않는 젊은이들이 늘어나고 있는 것이 현실이다. 자식들의 효도를 받으며 왕같이 살아오던 아버지들이 자기 밖에 모르는 아이들의 기분을 맞춰야 하는 위치로 자리가 바뀌고, 백세시대가 되면서 노인 인구가 늘어나자 어른을 공경하는 경로의식 마저 희박해지며 효의 개념이 사라져 가는 것이 아버지들을 더욱 위축하게 만든다.

오죽하면 노인은 많아도 어른이 없다는 말이 생겨났을까? 전통적으로 엄격했던 아버지는 가족과 자식의 양육을 위해서 돈벌이 하는 일꾼이 되었고, 자식을 성공시키겠다는 집념으로 외국에 유학을 보내면서 아내까지 자식의 뒷바라지를 하기 위해 함께 떠나서 학교를 졸업하고 학위를 받을 때까지 기러기 아빠로 뼈 빠지게 일하면서 젊은 세월을 희생하는 아버지들을 주위에서 쉽게 볼 수 있다.

세상에 힘들고 어렵지 않은 자리가 없겠지만 아버지의 자리만큼 힘들고 외로운 자리는 없다. 가장으로 권위를 세우고 싶어도, 큰 소리 치고 싶어도, 자상하고 자랑스러운 아버지고 싶어도, 무거운 책임의 짐에 눌리어 아주 작아져 버린 지금 아버지의 자리이다.

힘들게 자식을 키워서 결혼을 시키고 나면 부모의 의무가 끝나서 자식의 보살핌을 받으며 손주의 재롱 속에서 웃으며 살아가는 노후를 꿈꾸었지만 현실의 아버지들은 경로사상이 사라져버린 세상에서 외로움의 거리를 방황하며 쓸쓸한 삶을 살아가고 있다.

세월이 가면 싱싱한 나무도 고목이 되어 푸르름을 잃어가듯이 사람도 세월과 함께 노인이 되는 것은 자연의 법칙이다. 세월이 흘러 효의 사상이 사라져 가고 있어도 우리는 효를 기본으로 하는 이 땅에서 뿌리를 내리고 살아온 후손임을 잊지 않았으면 좋겠다.

호상(護喪)

사람은 태어나서 타고난 운명만큼 살다가 천국으로 떠나지만 그 길을 편안하게 가는 길이 있고, 힘들고 어렵게 가는 길이 있다.

'과연 나는 어떤 길을 가게 될 것인가?' 그 길을 아는 사람은 아무도 없다. 어떤 사람은 질병으로 몇 년씩 병상에서 힘든 시간을 보내다가 떠나고, 어떤 사람은 치매에 걸려서 주변 사람들에게 치명적인 고통을 주면서도 자신은 그런 고통을 모르고 떠나고, 젊은 나이에 예상치 않은 각종 사고를 당하여 순간에 세상을 떠나기도 한다.

복을 누리고 오래 산 사람이 특별한 지병 없이 평균 수명 이상을 살다가 잠 자듯이 죽는 경우를 호상이라고 하지만 장수의 기준이 따로 없기 때문에 80~90세 이상을 살다가 자연사하면 호상이라고 하여 상갓집의 분위기를 잔칫집 분위기처럼 밝게 하려고 한다. 식사 자리에서 작은 술판을 벌이고, 지인들 사이에서 화투놀이를 하면서 북적북적 하는 분위기를 만들었는데, 가족의 죽음은 슬픈 일이지만 고인과의 좋은 추억을 떠올리며 작별의 시간을 갖는 것이 죽은 사람이 마음 편히 저

승으로 갈 수 있을 것이라는 아름다운 이별을 위하여 생겨난 풍습인 것 같다. 그러나 부모가 생존하여 있을 때 자식의 상을 치르는 경우에는 아무리 자식이 장수를 하였어도 호상이라고 하지 않는다.

젊은 시절 직장생활을 할 때 친구 아버님께서 돌아가셨다는 연락을 받고 퇴근 후에 초상집을 갔는데 분위기가 너무나 조용하여 이상하다는 느낌을 받았다. 고인이 80세까지 장수를 하였지만 할아버지께서 103세로 생존해 계시기 때문에 장수를 하여도 자식의 상을 치르는 부모의 슬픈 마음은 견딜 수 없어 호상이라 하지 않으며, 자식의 사망을 부모에게 알리지 않고 장례를 치르는 것이 일반적인 관례라고 한다.

2023년 4월 4일 향년 85세를 일기로 별세한 가수 현미 씨의 소식이 전해지면서 서울 중앙대 병원 장례식장에 마련된 빈소에는 가요계 동료 선·후배들의 조문 행렬이 이어지고, 미국에 거주하고 있는 두 아들이 상주로 이름을 올렸지만 도착이 늦어져서 조카 배우 한상진 씨가 조문객을 맞으며 슬픔을 나누었다.

'밤안개'로 큰 인기를 누리며 66년 노래 인생을 걸어 온 현미 씨는 생전에 이 나이가 되도록 행복하게 노래를 부를 수 있는 것이 최고의 축복이라고 늘 말해왔듯이 세상을 떠나는 하루 전날에도 경북 김천의 효도 콘서트 무대에서 공연을 하였고, 집에 돌아와서는 연예계 절친인 엄앵란 씨와 늦은 시간까지 통화를 하였던 것으로 알려졌다. 죽는 날까지 열정으로 인생을 살아온 그녀는 자신의 노래처럼 '떠날 때는 말

없이' 우리의 곁을 떠나가버린 것이다.

가수 현미를 좋아하고 그의 노래를 사랑하는 많은 사람들이 아쉬워하고 슬퍼하지만, 첫아이를 낳아서 키울 때 돼지처럼 건강하다고 자칭 돼지 엄마라고 하였던 그 아들의 나이가 환갑이 넘을 때까지 장수하면서 질병의 고통을 모르고 노후를 즐기다가 하루 밤 사이에 훌쩍 떠나간 이런 초상이 진정한 호상이라고 하지 않을까? 가수 현미님의 명복을 빈다.

편 의 점

편의점은 미국인들이 편리함(Convenience)을 개념으로 도입된 작은 소매 점포이다. 주로 아파트 밀집지역이나 역 주변, 도로변에 사람과 차량 통행이 많은 곳에서 소비자가 각종 생활용품을 쉽게 구입할 수 있도록 24시간 영업하는 방식을 택하고 있다.

편의점이 처음 생겼을 때에는 젊은 층을 상대로 하는 가게라는 이미지가 강해서 나이 많은 중, 노년층들은 편의점에 가는 것을 꺼려했지만 시간이 지나면서 인식이 크게 바뀌어 어린이, 청소년, 청장년을 비롯해서 노인까지 다양한 계층들이 자유롭게 이용하는 공간이 되었다.

편의점은 처음에 대도시에만 생겼지만 지금은 소도시는 물론 농어촌에도 생기면서 그동안 이용하던 '슈퍼마켓'이나 'OO상회'라는 간판은 찾아보기 어렵게 되었다.

편의점에서 취급하는 품목은 다양하여 공산품뿐만 아니라 라면, 삼각김밥, 쉽게 조리할 수 있는 냉동식품이 일일 배송되어 판매한다. 특히 삼각김밥이나 도시락은 한끼를 손쉽게 해결할 수 있어서 직장인이

나 학생들에게 인기가 많은데 편의점 식품은 '가격은 비싸고 양은 적다'라는 인식이 전해져 오는 점은 반드시 시정해야 할 과제이다.

요즘에는 1인 가족이 늘어나면서 음식을 직접 요리해 먹지 않고 편의점에서 사먹는 사람들을 '편의점족'이라고 부른다. 이런 사람들이 갈수록 증가하고 있는 추세이다 보니 미리 만들어진 완성품이 아니고 편의점에서 직접 만들어내는 식품들이 늘어났다. 직접 튀긴 치킨이나 빵을 직접 구워 팔고, 핫도그나 꼬치요리까지 다양하게 판매하면서 이용자가 날로 늘어날 것으로 보이지만 경영주의 입장에서 보면 예상치 않았던 어려운 점도 있다.

직장생활을 할 때 가깝게 지내던 동료 친구가 정년퇴직을 한 후에 수입 없이 지낼 입장이 되지 않아서 어떤 일을 할 까 고민을 하다가 편의점 운영을 시작하였다. 개업하는 날 외국에 있어서 참석을 하지 못하고 개업을 한지 2개월 정도 지났을 무렵에 편의점을 찾아갔는데, 친구의 얼굴이 눈에 띄게 수척하고 피로해 보였다. 24시간 영업을 하다 보니 아내가 낮에 근무를 하고, 친구가 밤샘을 하니까 잠이 부족하여 피로가 쌓이고, 부부가 모두 편의점에 매달리다 보니 집안 살림은 엉망이 되고, 삼각김밥으로 삼시세끼를 해결하는 것이 견디기 힘든 고통이라고 한다.

"삼각김밥을 먹는 것이 고통스러우면 먹지 않으면 되지 않느냐?"고 하였더니, 편의점은 개인이 운영하는 것이 아니고 본사와 계약을 맺은 가맹점이어서 모든 상품의 재고를 본사에서 자동 시스템으로 관리해 주지만, 김밥이나 도시락과 같은 식품은 반품이 되지 않아서 그날 팔고 남은 재고는 어쩔 없이 먹을 수 밖에 없다는 것이다. "그러면 팔릴 만큼 수량을 줄여서 받아놓으면 되지 않느냐?"고 하였더니, 식품은 점포마다 최소의 기준량이 정해져 있어서 어쩔 수 없는데 앞으로 자리가 잡히면 해결될 것 같다고 한다.

돌아오는 길에 남아있는 삼각김밥을 몽땅 사 가지고 오니, 아내가 "이 많은 삼각김밥을 누가 먹으려고 이렇게 많이 사 왔느냐?"고 이해할 수 없다는 표정이다. 친구의 사정을 이야기하고 우리가 먹을 것 만큼만 남겨놓고 남은 것은 혼자 살고 있는 앞집 영감님과 경비실 아저씨들에게 드리기로 하였다.

편의점은 본사에서 모든 관리를 해주기 때문에 경험 없는 사람들도 쉽게 운영을 할 수 있다고 하지만 세상에 쉬운 일은 없는 것 같다.

청려장(靑藜杖)

5월이 오면 탐스럽게 피어나는 등(藤)꽃을 볼 때마다 아버지 생각이 난다. 어린 시절 열살 때 쯤으로 기억된다. 아버지는 친구 분 한테서 등나무 줄기 하나를 구해 오셨는데 용수철 모양으로 뱅글뱅글 꼬부라져서 재미있게 생긴 모형이다. 등나무가 넝쿨처럼 감고 올라가는 것은 알았지만 이렇게 예쁘게 꼬부리진 것은 처음 보았다.

아버지는 지팡이를 만들어서 할아버지께 드릴 것 이라고 하시며, 뒤뜰에 모닥불을 피우고 등나무 줄기를 불에 구운 후에 껍질은 벗기셨다. 불에 탄 부분과 타지 않은 부분의 색조가 멋진 무늬를 만들어 냈지만 나무 속에 벌레들을 죽이기 위해서라고 하셨다. 그런데 아버지는 지팡이를 만드시다가 먼 산을 바라보고 긴 한 숨을 쉬시고, 다시 작업을 하시곤 하였다. 무슨 걱정이 있으신 것 같았다.

나중에 알게 되었지만 아버지는 명아주로 지팡이를 만들어서 할아버지께 드리고 싶었지만 전쟁이 끝나고 먹거리가 귀하던 시절이다 보니 명아주가 새싹이 나와서 자라기 시작하면 모두 나물로 뜯어 먹어버려서 지팡이를 만들 만큼 크게 자란 명아주를 구할 수가 없기 때문에 등나무 지팡이를 만드시는 것이 마음에 갈등을 가져왔다고 하셨다.

명아주대로 만든 지팡이를 청려장이라 한다. 명아주는 재질이 단단하면서도 가볍고 품위가 있지만 이 지팡이를 짚고 다니면 중풍에 걸리지 않고, 신경통에 좋다고 알려져서 환갑을 맞은 노인의 선물용으로 널리 이용되었던 귀한 지팡이라고 한다.

통일 신라 때부터 왕은 장수한 노인에게 청려장을 하사했다는 문헌에 따라서 우리나라에서도 1992년 김영삼 대통령 때부터 노인의 날에 100세를 맞은 노인들에게 대통령 명의로 청려장이 주어지고 있어 민속품으로 큰 인기가 있다고 한다. 이렇게 필요한 노인용 지팡이가 요즘에는 눈에 띄지 않고 등산 스틱을 사용하거나 어르신 유모차로 사용되는 실버카가 이용되고 있다.

며칠 전 집 근처 공원에서 전동 휠체어를 타고 계시던 팔 십대로 보이는 할머니가 전동 휠체어에서 내려 천천히 산책하는 모습을 보고 조심스럽게 다가가서 "어디가 불편하시냐?"고 여쭈어 본 일이 있다. 할머니는 밝은 표정으로 "나이 들어서 아프지 않은 곳이 어디 있느냐?"고 하였다. "예전 같으면 지팡이에 의지하고 걸었지만 노인을 위한 전동 휠체어가 생겨서 자기용처럼 혼자 운전을 하고 나와서 산책을 할 수 있어서 너무 편리하여 좋다"고 하시며 당신 아들이 1등 효자라고 자랑을 하셨다. 전동 휠체어는 장애인 전용으로 알고 있었는데 효(孝)

를 상징하는 지팡이가 실버 전동차로 변하는 세상이 된 것이다.

효는 부모와 조부모를 비롯하여 어른을 잘 섬기는 인류의 중요한 윤리이자 가치이다. 나를 세상에 태어나게 해 주시고, 사람답게 자라나도록 가르치고 길러주신 은혜는 세상 어떤 것과도 비교할 수 없다. 대가족에서 가족을 결속시키고, 사회 풍속을 순화하는 효의 사상이 핵가족으로 바뀌면서 효의 본질이 둔화되는 면도 있지만 우리 민족 고유의 효의 사상은 오래 보존되었으면 좋겠다.

올해도 집 앞 공원에는 보랏빛 등나무 꽃이 활짝 피어나 은은한 꽃향기가 싱그럽다. 아버지가 그립다.

재활용 음식

원자재에서 가공한 생산품을 한 번 사용하고 난 뒤에 본래의 용도 또는 다른 용도로 다시 사용하게 만든 것을 재활용이라고 한다. 일반적으로 더 이상 쓸모가 없어서 버려야 하는 쓰레기 중에서 가장 많이 재활용 되는 것이 병과 종이 그리고 플라스틱 제품이다. 이 같이 재활용은 전국적으로 분리수거를 하면서 쓰레기 배출을 줄이는데 큰 도움이 된다.

쓰레기 중에서 또 한가지 문제가 음식물 쓰레기이다. 음식물 쓰레기는 지자체 별로 사료나 비료를 만들어 재활용되고 있지만 늘어나는 음식물 쓰레기를 전량 소화하기에는 여러 가지 어려운 점이 있는 것 같다. 특히 설이나 추석 같은 명절이 지나고 나면 음식물 쓰레기가 급증을 한다고 한다. 이 같은 음식물 쓰레기를 줄이기 위하여 일부 유명한 세프들이 매스컴이나 인터넷을 통하여 명절 남은 음식 활용 방법을 홍보하고 있어서 많은 사람들의 호평을 받는데, 아내가 재활용을 하고 있는 사례를 몇 가지 소개해 본다.

먼저 모듬전이다. 전은 고기나 생선 또는 채소 같은 재료를 얇게 썰거나 다진 뒤 부침가루나 계란물을 입혀 기름에 지지는 음식으로 다양한 재료를 사용하였기 때문에 남은 전을 잘게 썰어서 볶음밥 재료로 사용하고, 남은 전을 냄비에 골고루 넣고 멸치육수를 넣어 찌개나 전골로 활용한다.

각종 나물은 비빔밥으로 사용하면 일품이고, 잡채는 김으로 싼 후에 튀기면 아이들이 좋아하는 김말이로 변신시킬 수 있다. 이와 같이 조금만 생각을 하면 음식물 쓰레기도 줄이면서 새로운 아이디어 음식을 즐길 수 있어서 그야말로 일석이조이다.

내가 재활용 음식에 관심을 갖게 된 것은 인도네시아 생활을 할 때 한국인 슈퍼가 없는 작은 지방도시에서 근무할 때였다. 대부분의 식사는 현지인 식사로 해결할 수 있지만 김치만큼은 어쩔 수 없이 내 손으로 담가야 했기 때문에 출국하기 전에 고춧가루와 까나리액젓을 충분하게 준비해 가져가고, 마늘과 파 그리고 배추만 현지 시장에서 구입하여 김치를 담갔다. 그러나 김치는 하루 세끼를 빠지지 않고 먹다 보니 금방 떨어져서 다시 담가야 하는 번거로움이 재활용 김치를 생각하게 된 것이다. 방법은 간단하다. 배추를 김치 담그는 것처럼 숭숭 썰어서 소금을 살살 뿌려 놓으면 날씨가 더운 지방이라 금방 저려진다. 저려진 배추를 물에 한 번 씻어서 꼭 짠 후에 다 먹고 난 김치국물에 넣고, 액젓을 조금만 추가하여 간을 맞추어 놓은 뒤 하루가 지나면 김치와 비슷한 김치를 먹을 수 있는 것이다. 이 김치를 나 스스로 재활용 김치라고 부르며 즐겁게 먹었던 추억이 있다.

이러한 경험이 있어서 지금도 집에서 김치를 다 먹고 국물이 남으면 생수와 설탕을 적당하게 넣어서 김치말이 국수를 만들어 먹고, 갈비찜을 먹고 난 국물로는 떡볶이나 라볶이를 만들고, 볶음밥 소스로도 활용 한다.

음식을 만들 때는 지나치게 많은 양을 만들지 말고, 당일 먹을 수 있는 적당한 양이 되도록 신경을 쓰고, 만든 음식은 남김 없이 먹는 것이 쓰레기를 줄이는 가장 좋은 방법이다.

이제부터 남은 음식을 버리기 전에 반드시 재활용 음식으로 활용할 수는 없을까? 한 번쯤 생각하는 생활을 습관화 했으면 좋겠다. 쓰레기를 줄이는 것은 자원을 아끼는 것이고, 내가 살고 있는 곳의 환경을 깨끗하고 아름답게 만드는 것이다.

제 5 부 해 질 녘의 꿈

이 름

"여정 윤(Yuhjung Youn)!"

우리나라 최초로 미국 아카데미상 여우조연상을 수상하는 시상식에서 호명 된 배우 윤 여정의 영어 이름이다. 주위에 있던 많은 관계자들이 환호를 하였지만 나는 기쁘면서도 아쉽다는 생각이 들었다.

1세기에 한 두 명 나올까 말까 한 목소리를 가진 성악가라고 극찬을 받은 최고의 소프라노 조수미 역시 모든 팜플렛에는 수미 조(Sumi Jo)로 소개된다. 왜 조수미(Jo Sumi)로 불리지 못하고 윤여정(Youn Yuhjung)으로 소개되지 못할까?

사람에게는 자신의 이름이 있고 그 이름으로 불려지기를 요구한다. 혹여 이름을 모르거나 알 필요가 없을 경우에는 그냥 어떤 사람이라고 할 수도 있고, 그 사람의 특징을 상기시켜서 키 큰 사람 또는 눈이 작은 사람이라고 별칭으로 부를 수도 있지만, 누구에게나 고유의 이름을 부인하는 사람은 없을 것이다.

'호랑이는 죽어서 가죽을 남기고, 사람은 죽어서 이름을 남긴다'는 속담처럼 사람에게 큰 의미가 있는 우리 고유 이름이 저들의 방식대로 바뀌져서 영어 이름으로 불려지고 있는 것이다.

영문이름의 구성은 우리의 이름과 반대 순서이다. 김연아가 아니고 연아 김(Yuna Kim)이 되는 것이다. Yuna는 처음에 왔다고 해서 First name 혹은 나에게만 주어진 이름이라고 해서 Given name 이라 하고 Kim은 마지막에 왔다고 해서 Last name 혹은 가족들은 공통으로 가지고 있다고 해서 Family name 이라고 한다.

나의 첫 번째 에세이 집 '뜨리마까시'에서 소개한 적이 있듯이 인도네시아에 근무할 때 현지인 아이의 이름을 작명해 주었던 일이 있다. 공장장 마르하위 수다르소노(Marhawi Sudarsono)가 아들을 낳았는데 이름을 지어 달라는 것이다. 그들의 풍습을 모르기에 사양을 하였더니 자기네 부족은 집안의 제일 높은 어른이 이름을 지어왔는데, 요즘에는 아기의 부모가 직접 짓거나 작명소에서 이름을 짓는다며 자기는 아들 이름을 알.핫산(Al.Hatsan)이라고 정했고, 아내는 아시스(Asis)로 정했으니까 내가 지어주는 이름을 그 뒤에 붙이면 된다는 것이다. 그들은 원래부터 가족의 성(性)이 없고 형제간에도 돌림자가 없다 보니 형제가 회사에 입사원서를 제출해도 서류상으로 형제임을 알 수가 없다.

한 동안 고민을 하다가 거북이처럼 장수하라는 의미의 유라(Yura)라는 이름을 지어주었더니 그 아이의 이름이 알.핫산 아시스 유라(Al.Hatsan Asis Yura)가 된 것이다.

그들의 이름은 First name이 없고 Family name도 없다. Al.Hatsan Asis Yura가 국제무대에서 이름이 불리 울 때는 영어이름이 아닌 그들의 이름 그대로 불리 울 것이 아닐까?

이름은 고유명사이다. 고유명사는 특정한 사물이나 사람을 다른 것들과 구별하기 위하여 붙인 세상에 하나만 존재하는 것을 일컫는 이름이라고 국어사전에 정의한다. 우리는 영어권 나라가 아니기 때문에 영어 이름이 없는 것이 당연하다. 연아 김으로 불리는 것이 불만이다. 부모님이 지어주신 귀한 이름 김 연아를 우리 스스로 지켜야 하지 않을까?

해 질 녘의 꿈

음악을 좋아하고 노래를 좋아해서 고등학교 시절에는 밴드부에서 클라리넷을 잠시 불어본 경험이 있듯이 한 때는 음악을 전문적으로 공부하고 싶다는 꿈을 가져 본 적도 있었지만, 음악을 하는 사람들은 배가 고프다는 주위 사람들의 말에 눈치만 살피다가 꿈을 접은 일이 있다. 그래서인지 클래식 음악을 듣는 것이 좋고, 팝송을 따라 부르면 즐겁고, 우리 가요를 부르면 신바람이 난다.

올 봄에 평생교육원 '추억의 팝송' 교실에서 첫 수업을 개강하는 날 선생님은 "어르신들의 꿈은 무엇인지 말씀해 보세요"라고 질문을 하셨다. 누구도 선뜻 말을 못하고 있는데 할머니 한 분이 이 나이에 무슨 꿈이 있겠냐고 하자 모두들 웃었던 일이 있다.

선생님은 "꿈은 살아있다는 의미입니다. 지금부터 꿈을 한가지씩 가지고 황혼의 꽃을 피워보시기 바라는 마음으로 노래 수업을 시작하겠습니다."라고 하셨다.

I have a dream, a song to sing

To help me cope with anything

If you see the wonder of a fairy tale

You can take the future even if you fail

나에게는 꿈이 있고 부를 노래가 있어요

내가 무엇이든 할 수 있도록 도움을 주는 노래죠

당신이 동화 속의 경이로움을 이해 한다면

실패를 한다 해도 당신은 미래를 꿈 꿀 수 있습니다

1979년도 세계적으로 크게 인기를 누렸던 스웨덴 출신 혼성 그룹 Abba의 노래 '나는 꿈이 있어요' 가사 내용의 일부이다.

퇴직을 하고 사회 활동을 접은 늙은이들이 모여서 젊었던 시절에 부르던 팝송을 함께 부르면서 즐거운 시간을 함께하고 있으니 세상 참 좋아졌다.

사람들 중에는 정년 퇴직을 하여 사회생활을 마치면 인생 다 살았다는 듯이 무의미하게 허송세월로 보내는 사람이 있는가 하면, 한 때 접어두었던 꿈을 실현해 보려고 제2의 인생을 멋지게 설계하여 살아가는 사람들도 있다.

얼마 전에 MBN '엄지의 제왕' TV 프로그램에 96세 현역 마라토너

김종주 할아버지가 출연하여 자신의 건강비결을 알려주었다. 할아버지는 50세에 처음으로 마라톤을 시작하였고, 46년간 꾸준히 건강관리를 하면서 작년에는 95세의 나이로 마라톤 풀 코스를 11시간 24분 49초로 완주하여 세계 최고령 마라토너가 되었다는 사실을 공개하며 많은 사람을 놀라게 하였다. 그러면서 할아버지는 “죽는 날까지 마라톤을 계속하여 120세까지 건강하게 사는 것이 꿈이다”라고 하셨다.

꿈이란 희망이나 이상을 뜻하는 말이며, 넓은 의미로 이루고 싶은 희망을 이루기 위한 목표라고도 할 수 있다.

세계가 열광하는 2002년 한일월드컵에서 붉은 악마들을 앞장 세워서 목청 높여 외치던 ‘꿈은 이루어진다’는 함성이 전국을 뒤흔들어 드디어 세상 사람들을 깜작 놀라게 하는 월드컵 4강이라는 신화를 이룩하기도 하였다.

스마트 폰 벨 음악을 ‘I have a dream’으로 바꾸었다. 경쾌한 멜로디가 울릴 때 마다 신나게 노래를 흥얼거리며 ‘해 질 녘의 꿈’을 이루기 위하여 오늘도 열심히 살아가고 있다.

꿈은 젊은 사람들만의 소유물이 아니고 96세 할아버지도 꿈을 가지고 있다.

‘나이를 먹었다고 해서 사람이 늙지 않는다. 꿈을 잃었을 때 비로소 늙는 것이다.’ 미국의 사업가이며 시인인 사무엘 울만의 시(詩) ‘청춘’에 나오는 구절이다.

우리 모두 꿈을 가지고 행복한 삶을 살아가자. 행복은 누가 가져다 주는 것이 아니라 스스로 만들어 가는 것이다.

두 번 놀랐던 영화

23년 11월 28일 KBS 아침마당 화요 초대석에 영화감독 민병훈과 그의 아들 꼬마 시인 민시우가 게스트로 출연했다.

아내의 죽음을 다룬 민 감독의 다큐멘터리 영화 '약속'이 상영 중에 있는데, 이 영화를 만들게 된 동기는 "영화의 처음과 마지막 장면에 엄마의 모습을 넣어서 아들 시우에게 보여주고 싶었다"고 하며 "아내가 시우를 낳고 뜻하지 않게 병이 찾아와서 병을 치유하기 위해 제주도로 이사를 가게 되었고, 아내가 좋아하는 숲 옆에 거처를 잡고 함께 시간을 보내게 되었다"고 했다.

아내가 떠나갈 때 시우의 나이는 겨우 아홉 살. 아직은 어려서 엄마의 무덤 앞에 데려가지 않았지만 1년 뒤 꼭 데려가겠다는 약속을 하고, 그렇게 1년 동안 시우는 엄마를 향한 그리움과 빈 자리를 참으며 누구나 죽지만 언젠가 만날 수 있다는 희망적인 약속을 지켜주고 싶은 이야기를 영화에 담았다고 한다.

비는 매일 운다

나도 슬픈 때는 얼굴에 비가 내린다

비야

너도 슬퍼서 눈물이 내리는가?

하지만 비야

너와 나는 어차피 웃음이 찾아 올 거야

너도 힘내

비 오는 어느 날 우연히 시우가 처음 써 놓은 '슬픈 비'라는 시를 읽게 된 민 감독은 시우가 시에 소질이 있는 것을 발견하게 된다. 이렇게 엄마와 이별 후에 시를 쓰기 시작한 시우는 엄마에게 보내는 마음이 담긴 시집에서 '약속'을 직접 낭송했다.

엄마 오늘은 저번보다 벚꽃이 많이 피었어요

그래서 저는 제가 죽을 때 봄이었으면 좋겠어요.

왜냐하면

엄마한테 벚꽃을 손에 들고

엄마한테 선물을 주고 싶기 때문이에요

벚꽃을 엄마한테 이제 줘야겠죠

엄마 이제 제 마음처럼 예쁜 벚꽃을 선물할게요

시(詩)를 낭송하는 시우의 모습을 보며 '어린 나이에 어떻게 저토록 감동적인 시를 쓸 수 있을까?' 믿기지 않는 시의 구절에서 감동과 먹먹함, 눈물이 핑 도는 감정에 나 스스로 놀라움을 느꼈다.

이 영화는 꼭 봐야겠다. 어느 극장에서 상영을 하고 있나? 인터넷 검색을 하였다. 우리 집에서 가까이 있는 CGV, 롯데시네마, 메가박스에서 상영중인 프로그램을 모두 확인하였으나 영화 '약속'을 상영하는 곳은 어디에도 없었다. 민 감독은 분명히 현재 상영 중이라고 하였는데 대형 영화관에서 상영하지 않으면 찾는 것이 쉽지 않겠다는 생각이 들었지만 계속 검색을 하다가 결국은 포기를 하였다.

그런데 주말에 집에 다니러 온 아들과 대화를 나누던 중에 영화 '약속' 이야기를 하였더니 스마트 폰으로 지하철 7호선 노원역 가까이에 있는 소극장에서 수요일 낮 12시 10분에 상영하는 것을 찾아주었다. 역시 컴퓨터 시대에 젊은이의 컴 실력은 확실히 다르다. 그 날 다른 계획이 없어서 다행이지만 상영 시간이 점심시간이어서 다른 시간을 찾아 보았는데 당일 1회 상영뿐이었다.

수요일. 선택의 여지가 없이 집을 나섰다. 노원역까지는 지하철을 이용해도 1시간 30분 이상 소요될 것 같아서 도착한 뒤 점심을 먹고 영화를 봐야겠다는 계획으로 조금 일찍 출발을 하였다. 그러나 지하철을 두 번이나 환승하다 보니 예상 보다 시간이 많이 소요되어 영화 상영 15분전에 도착한 것이다.

시간이 없어서 점심을 먹기는 틀렸으니 팝콘과 콜라로 대신해야겠다고 입장권 구입을 하였다. "희망하는 좌석을 말씀해 주세요!" 직원의 말에 배치도를 확인 하는 순간 1관 40석 전 좌석이 모두 비어 있었다. '왜 모두 비었지?' 의아한 생각이 들었지만 무심코 맨 뒷자리를 선택했다. 팝콘을 사려고 주위를 둘러봐도 소극장이어서 팝콘을 팔지 않는다고 한다. '극장 안에는 음식물 반입이 안 되는 것으로 알고 있는데 어떻게 하지?' 잠시 생각을 하다가 상영 시간이 83분에 불과하니까 영화를 본 후에 먹어야겠다고 생각하며 상영관으로 들어갔다.

그런데 "아뿔사!" 관객이 아무도 없고 나 혼자 뿐이다. 어떻게 이런 일이 있단 말인가? 어이가 없어서 문 앞에 우뚝 서있는데 영사 기사로 보이는 젊은 청년이 장내 정리를 하려는지 객석을 한 바퀴 돌아보면서 "약속 보실 거죠?" 묻는다. "예", "앉으세요 바로 시작합니다" 대답을 하고 밖으로 나가 버렸다. 갑자기 일어난 일이라 더 이상 아무 말도 못하고 자리에 앉으면서 '나 한 사람 때문에 영사기를 돌리는 것은 영화관 측에서 큰 손해를 볼 테니까 내가 관람을 포기하는 것이 옳지 않을까?' 이런 저런 생각을 하는 사이에 불이 꺼지고 영화가 시작 되었다.

감독 자신과 아들 시우의 일상 이야기를 중심으로 제주도의 아름다운 숲과 바다가 멋지게 펼쳐지는 영화 '약속'은 누구나 공감할 수 있는 한 편의 시(詩) 같은 이야기이다. 이렇게 멋진 영화를 텅빈 객석에서 나 혼자서 앉아 있는 기분이 참 묘하다.

하얀 눈

지금은 대학생이 된 외손녀 윤지가 다섯 살 때 있었던 것으로 기억된다. 할머니 집에 놀러 와서 지내던 어느 날 "할아버지! 윤지는요, 이제 까만 눈이 아니고 하얀 눈이 됐어요?" 뜬금없이 하얀 눈이 됐다는 소리가 무슨 뜻인 줄 몰라서 하얀 눈이 뭐냐고 물었더니 옆에 있던 딸이 설명을 한다. 윤지한테 동화책을 읽어주고 있었는데 까막눈이라는 말이 나오니까 "엄마! 까막눈이 뭐냐?"하고 묻는 것이었다. 까막눈은 글씨를 볼 줄 몰라서 읽을 줄 모르는 사람을 얕잡아 이르는 말이라고 가르쳐 주었더니, 윤지가 글을 읽을 수 있게 가르쳐 달라고 하여서 한글 공부를 시작하였고 지금은 한글을 깨우쳐서 까막눈이 아니라는 것이다. 까막눈을 까망 눈으로 이해를 하고, 까망 눈의 반대말로 하얀 눈이라고 했던 것이다. 어린 나이에 반대말까지 생각한 풍성한 상상력을 가지고 있는 재능을 발견하고, 이 녀석은 커서 뭐가 되도 될 것 같다는 기쁜 마음에 "장하다 우리 윤지!" 칭찬을 해주면서 번쩍 안아 무등을 태워 주었다.

그런데 나이가 들어가면서 우리 한글을 제대로 쓸 줄 모르고 이해하지 못하는 말들이 점점 늘어가면서 까막눈이 되어가는 기분이 든다.

우리 한글은 해방 이후로 여러 번 맞춤법이 바뀌어서 바뀔 때 마다 혼란스러웠는데 1989년 국어연구소가 발족하면서 맞춤법이 개정되어 새로운 표기법을 모르는 기성 세대들은 많은 혼란을 겪고 있다. 예를 들어서 설겆이(X)-설거지(O), 몇일(X)-며칠(O), 학교길(X)-학굣길(O), 첫돐(X)-첫돌(O), 삭월세(X)-사글세(O), 오뚜기(X)-오뚝이(O) 등 학교 다닐 때 배웠기 때문에 습관처럼 사용하던 낱말이 혼돈이 되는 상태에서 2017년도에 또 다시 일부 개정이 되어 올바른 맞춤법을 사용하는 것이 쉽지 않다.

젊은 시절 군 복무를 하고 있을 때 어머니가 써 보내 주신 편지가 옛날식 철자법으로 쓰셨기 때문에 읽는데 어려움을 경험했던 기억이 떠오르는데, 지금 우리 손주들한테 편지를 쓴다면 맞춤법이 달라져서 어머니의 편지를 읽었을 때와 똑같은 일이 반복될 것이다.

시대가 변하여 자연스럽게 컴퓨터 세상이 되면서 은행, 병원은 물론 음식점에서 주문까지 컴퓨터를 사용하고 있으니 컴퓨터 교육을 받지 않은 노인들은 사회 생활에서 소외감을 느끼고, AI 시대까지 오면서 이해 못하는 새로운 용어를 뉴스에서 접하게 될 때마다 까막눈이 따로 없다는 생각을 하게 된다.

더구나 표준어 사용을 원칙으로 하는 줄 알고 있는 방송에서 조차

지방 사투리는 물론이고 줄임 말과 신조어를 공공연하게 사용하는 현실이다. 며칠 전 뉴스 시간에 '김골라 지옥 출근길'이라는 자막을 보는 순간 '김골라가 뭐지?' 한동안 생각을 하다가 나중에서야 김포골드라인의 줄임 말을 알게 되었다.

TV 뉴스를 듣는 것 조차 이해 못하는 늙은이로 산다는 것은 슬픈 일이다. 우리 외손녀 윤지가 하얀 눈이 된 것처럼 우리 노인들도 세상에 뒤처지지 않도록 열심히 공부하여 하얀 눈이 되도록 노력해야 할 것이다.

동 행

요즘은 젊은이들 사이에 비혼을 선호하는 경향이 날로 늘어가고, 결혼을 한 부부 사이에도 아이를 낳지 않고 둘이서만 인생을 즐기며 살자는 부부가 많아졌다. 이것은 우리나라의 저 출산율이 세계 1위라는 불명예스러운 현실에 장래를 걱정스럽게 만드는 심각한 문제이다.

결혼은 서로 다른 두 사람이 만나서 평생을 함께 살아가기로 약속하는 계약이다. 그렇기 때문에 마음이 맞지 않으면 평생을 싸우면서 살아가거나 극단적으로 이혼까지 하게 된다. 이혼을 하게 되면 사회적으로 이혼남, 이혼녀라는 소리를 들으며 살아가지만 돌아온 싱글을 의미하는 돌싱이란 말이 우리말 사전에 올라있을 정도로 이혼 자체가 큰 흉이 되지 않아서 한 번 갔다 왔다고 당당하게 밝히는 시대가 되어버린 것이다.

사회적으로 1인 가구가 늘어나면서 주택 문제가 갈수록 심각하게 되고, 아울러서 홀로 죽음을 맞는 고독사가 자연스럽게 증가하게 되었다.

비혼을 선호하는 이유는 무엇일까? 연애는 필수이고 결혼은 선택이라는 고정관념을 깨뜨린 비혼 주의자들의 사고방식이 가장 큰 문제이다. 어떻게 그럴 수가 있을까? 정상적인 개념으로는 연애는 선택이고 결혼이 필수여야 하는 것이 당연하지 않을까?

비혼의 장점은 자신만의 시간을 즐길 수 있다는 점이다. 비혼을 추구하는 이들은 자신과 맞지 않는 프레임에 맞추는 것이 부담스럽다. 결혼과 함께 시작되는 양가 가족의 새로운 시스템에 맞춰가며 살아야 하는 자체가 부담이 되고, 자신의 시간을 갖는 것이 쉽지 않고, 결혼이라는 굴레에 묶인다는 강박이 문제점이 될 수도 있다.

그런데도 나이 드신 분들의 판단으로는 '왜? 결혼을 하지 않아? 몸에 어떤 문제가 있는 것은 아닌가?' 의심부터 갖게 하지만 MZ세대들은 주위의 눈총을 무시하고 비혼 선포 식을 하는 사례까지 생겨났다.

취업난이 심각하고 주택 가격이 하늘같이 높아서 장래가 보장되지 않는 현실에 결혼은 엄두도 못 내는 심정을 이해할 수 있다.

그렇다면 결혼 한 사람들은 왜 결혼을 했을까? 결혼의 장점은 사회적 네트워크가 확장된다는 점이다. 시가, 처가, 배우자의 지인들은 인맥이 된다. 여행길에 동행하는 사람이 있는 것은 행복한 일이다. 사람에 따라서 혼자 여행하는 것을 즐기는 사람도 있지만 누군가 옆에 있다는 믿음 하나로 마음에 위안이 되듯이 인생길 역시 혼자 걷는 것 보다 함께 걷는 것이 한결 힘들지 않기 때문이다.

'백지장도 맞들면 낫다'고 했다. 어려운 일이 닥쳤을 때 서로 기댈 수 있고 힘이 되어 줄 수도 있기 때문이다.

지금은 음식점에 혼밥 식탁도 생겨났다. 혼밥이란 혼자서 밥을 먹는 것이고 혼밥을 하는 이유는 자유롭고 편해서 혼자 먹는 사람도 있지만 함께 먹을 사람이 없어서 혼자 먹는 경우가 있듯이 인생 길에도 함께 걸어야 하는 동행이 필요한 것이다.

하나님이 천지창조를 하실 때 아담 하나만 만들었다가 이브를 만드신 의미는 하나보다는 둘이 더 좋다고 생각하셨기 때문일 것이다.

얼마 전 탤런트 최석구님이 60세 나이에 결혼을 하여 행복하게 살고 있는 모습이 TV에 보도되면서 많은 시청자들의 축복을 받았다. '늦었다고 생각 할 때가 가장 빠른 때'라는 말이 있다. 아직 혼자라면 인생의 동행자를 찾아서 여행길에 오르자. 세상에 인연은 반드시 어딘가에 있는 것이다.

라면 이야기

조리사에는 한식, 일식, 중식, 양식조리사가 있지만 아내는 나를 라면 조리사라고 한다. 그만큼 내가 끓인 라면이 맛있다는 것이다.

인스턴트 식품 중에 단연 으뜸으로 손꼽히는 라면은 일본에서 시작되어 국내에는 1963년 삼양라면이 일본의 라면 제조기술을 도입하여 현재까지 사용하는 주황색 봉지의 삼양라면을 선보이면서 라면의 시대가 시작되었다. 그러나 당시에 라면은 일반인에게 생소하여 큰 인기를 얻지 못하다가 박정희 대통령의 혼분식 장려 정책에 힘입어 대중화가 되면서 이제는 일상에서 없어서는 안될 만큼 많은 사람들의 사랑을 받는 식품으로 자리잡게 되었다고 한다.

세계에서 라면을 가장 많이 소비하는 나라를 알아 본 결과 2021년 세계 라면 협회(WINA, World Instant Noodles Association)의 자료에 따르면 한 해에 1인당 라면 소비량이 1위 베트남 87개, 2위 한국 73개, 3위 네팔 55개로 그동안 줄곧 1위를 차지했던 한국이 베트남에 1위를 내주었다는 것이다.

세계적으로 라면이 인기 있는 이유가 무엇일까?

제일 먼저 가격이 저렴하다. 오늘 기준으로 시중에서 가장 싸게 먹을 수 있는 원조 김밥 한 줄 가격의 1/3 가격으로 한 끼를 해결 할 수 있어서 경제적으로 여유가 없는 사람들에게 인기가 있기 때문이다.

둘째로 맛이 있다. 아무리 값이 싸더라도 맛이 없으면 소비자는 외면하게 마련인데 라면은 누구의 입맛에도 거부하지 않는 대중적인 맛을 가지고 있다.

세 번째로 조리가 간단하여 누구나 쉽게 조리를 할 수 있다.

네 번째로 종류가 다양하여 선택의 폭이 넓다는 점이다. 사람의 입맛이 매운 맛을 즐기는 사람이 있는 반면에 매운 맛을 먹지 못하는 사람이 있듯이 다양한 입맛에 맞는 상품을 만들다 보니 자연히 다양한 종류의 라면이 생겨난 것 같다.

이토록 사랑을 받는 라면이 우리나라에는 몇 종류나 판매되고 있을까? 농심의 신라면, 오뚜기의 진라면, 그리고 삼양의 불닭볶음면까지 국내 3대 라면회사 제품만도 대략 100여 종류의 라면이 시중에서 판매 된다고 한다. 한 마디로 엄청나게 많다.

이렇게 라면의 인기가 높다 보니 라면에 대한 여러 가지 재미있는 이야기도 있다. 라면을 끓일 때 "라면을 먼저 넣는 것이 맛있다. 아니면 수프를 먼저 넣는 것이 더 맛있다"는 에피소드가 개그프로에 등장도 했지만 전문가 말에 의하면 끓이는 방법에 따라서 맛이 달라지는 것은 실제로 과학적인 근거가 있다고 한다.

그러면 어떻게 끓인 라면이 제일 맛있을까? 아내는 내가 끓인 라면이 제일 맛이 있다고 하지만 그 말은 사실이 아니다. 세상에서 제일 맛있는 라면은 남이 끓여준 라면이라는 사람들도 있는데, 그 말은 부엌에서 벗어나고 싶은 주부들이 만들어 낸 말일 것이다.

맛있는 라면은 면이 불지 않고 알맞게 익었으며, 국물이 너무 짜거나 싱겁지 않으면 맛있는 라면이다. 이렇게 맛있는 라면을 끓이는 방법은 간단하다. 면의 굵기가 가느다란 라면은 3분, 짜장면 같이 면이 굵은 라면은 5분 30초, 일반 라면은 4분을 끓이는 것이 좋다고 어느 회사의 라면이라도 포장지에는 그림까지 그려서 친절하게 조리 방법을 설명하고 있다. 이 방법대로 끓이면 누구나 아내에게 사랑 받는 맛있는 라면을 끓일 수 있다. 그래서 사람들은 라면을 좋아하는 것 같다.

빨리빨리

인도네시아 근무 할 때 일이다. 어느 날 현지인 총책임자가 긴장된 표정으로 건의사항이 있다고 하였다. "무슨 일이냐?"고 물었더니 한국인 관리자들이 자기들은 열심히 일을 하고 있는데도 빨리빨리 하라고 독촉을 하는데, 그럴 때 마다 오히려 의욕이 떨어지니까 그런 말은 삼가 주었으면 좋겠다는 것이다. 이해가 되는 건의 사항이다.

"우리나라는 봄, 여름, 가을, 겨울의 사계절이 있어서 농사를 주업으로 하였던 옛 어른들은 겨울이 오기 전에 월동 준비를 마치려고 서둘러서 일을 하다 보니 빨리빨리 정신이 자연스럽게 몸에 밴 것 같다." 고 설명해 주었지만 일년 내내 무더위 속에서 사는 그들이 영하의 겨울을 이해하지는 못했을 것이다.

사실 우리 한국 사람들은 성질이 급하다. 자카르타에서 비행기를 타고 인천국제공항에 착륙했을 때 "비행기가 완전히 정지할 때까지 좌석에서 일어서지 말고 앉아있어 주세요."라는 승무원의 안내방송이 있었지만 승객들은 하나같이 짐을 내리고 좁은 통로에 빽빽이 서서 문이 열리기를 기다리고 있는 것이다. 천천히 일어나도 크게 늦지 않는데 말이다. 이렇게 나와서는 쏜살같이 짐을 찾으러 달려가서 준비가 덜되어 나오지 않는 수하물 수취대에서 왜 짐이 나오지 않을까? 초조하게 기다리고 있는 사람들은 모두 한국인들이다.

그 뿐만이 아니다. 길을 건너가는 횡단보도에서 파란 점멸등의 숫자가 5, 4, 3, 2, 1로 끝나가는 순간에 다음 신호를 기다리는 것이 상식인데도 위험을 무릅쓰고 허겁지겁 뛰어서 건너가는 사람이 있는가 하면, 지하철 에스컬레이터에서 걷거나 뛰지 말라는 안내문이 붙어있어도 걷는 정도가 아니라 뛰어 가는 사람들은 얼마나 급한 일이 있는지 궁금하다.

언젠가 미국에 살고 있는 친구가 한국 방문을 하였을 때 예정에 없이 갑자기 집에 찾아와서 중국집에 음식을 주문하였는데, 30분도 지나지 않아서 배달된 짜장면과 탕수육이 식탁 위에 차려진 것을 보고 "세상에! 세상에!"를 반복하며, "아무리 배달의 민족이지만 이렇게 배달이 빠른 줄은 몰랐다."고 감탄한 적이 있었다.

언젠가 대구에 사시는 아이들 큰 이모가 놀러 와서 몇 일 묵으실 때 대한불교천태종 총본산인 단양 구인사(救仁寺)를 가봤으면 좋겠다고 하여, 차를 몰고 중앙고속도로를 달리고 있을 때였다. 갑자기 차의 움직임이 이상하다는 느낌이 들어서 속도를 줄이는 순간 "펑"하는 소리와 함께 차가 휘청 하였다. 정신을 차리고 조심스럽게 갓길에 주차를 시키고 나와서 타이어를 살펴보니, 왼쪽 앞 바퀴 타이어가 완전히 파열 된 것이다.

정말로 아찔한 순간이었다. 차 뒤편에 삼각대를 설치하고 뒷 트렁크 문을 열어 놓은 후에 자동차 보험회사로 전화를 걸었다. 고속도로 위를 쏜살같이 달리는 차량들의 소음 속에서 렉카차가 도착하기를 초조하게 기다리는데 상상 이상으로 빠른 시간에 도착한 렉카차 기사님은 "이 정도 파열이면 전복될 수도 있는데 운이 좋았다."고 하시며, 스페어 타이어로 교체 작업을 해주신 뒤에 안전운전 하라는 한마디를 남기고 떠나셨다. 정말로 빠른 시간에 어려운 일이 쉽게 해결된 것이다. 처형께서는 구인사 부처님이 도와 주신 것 같다고 하셨지만 과속을 하지 않았기 때문이라는 것이 내 생각이다.

한국 사람들은 왜 이토록 성격이 급하고 빨리빨리의 성향이 강할까? 세상에서 제일 빠른 인터넷 속도, 저녁에 주문하면 아침에 배송이 되는 총알 택배, 손 하나 까닥하지 않아도 깔끔하게 이사를 할 수 있는 포장 이사를 비롯하여, 운행 중에 휘발유가 떨어져도 전화 한 통화면 기본 휘발유까지 해결해 주는 자동차 보험 시스템은 전 세계 사람들이 놀랄만한 우리의 빨리빨리 문화의 전형적인 본보기이다.

전쟁으로 폐허가 된 나라가 세계 10대 경제 대국으로 성장 할 수 있었던 바탕에는 성수대교 참사, 삼풍백화점 붕괴 같은 불미스러운 사건도 있었지만 빨리빨리 정신의 영향이 있었을 것이다. 이제 우리는 세상 사람들의 부러움을 받는 선진국이 되었다. 더 이상 사고가 없는 나라가 되도록 천천히 천천히 앞뒤를 살피면서 나가도록 노력하자. 누가 뭐라고 하여도 빨리빨리는 우리 민족의 정신적 자산인 것이다.

이발소

은행 지점장에서 정년 퇴직을 하고 강남에 살고 있다가 할 일도 없는 늙은이가 서울 복판에 살고 있을 이유가 없다며, 집을 처분하고 광교산 아래 우리 동네로 이사를 온지 얼마 되지 않는 중학교 친구 K한테서 전화가 왔다. 이발을 하려는데 남자 전용 이발소가 어디 있는지 물어 온 것이다.

나는 남자 커트 전문점을 오래 전부터 이용하기 때문에 옛날식 남자 전용 이발소를 아는 곳이 없다고 하였더니, 머리가 다 빠져서 몇올 남지도 않았는데 미장원에 가는 것도 큰 문제라며 무척 아쉬워했다.

고등학교까지 빡빡 머리여서 집에서 아버지가 바리깡으로 깎아 주었는데, 졸업을 하고 머리를 기르게 되면서 이발소에 갈 수 있게 된 것이 얼마나 좋았는지 몰랐다. 내가 처음으로 이발소를 찾은 것은 친구 태식이가 이발사로 일하고 있는 현대 이발관이었다.

친구 태식이는 집안 형편이 좋지 않아서 진학을 하지 못하였다. 중학교를 졸업하자 이발소에 들어가 심부름을 하면서 세발을 도우며 이발사의 꿈을 키우다가 국가기술자격시험에 합격하여 당당한 이용사가 된 친구이다.

반갑게 맞이해 준 태식이는 머리를 깎으면서 자기가 주인이 아니어서 돈 받는 것이 미안하다며, 면도를 받지 않는 학생 머리는 반값이니 자기가 면도를 서비스해 주겠다고 하였다. 집에서 아버지가 깎아주던 것 과는 비교도 안되게 사각사각 가위 소리가 기분 좋게 들렸다. 초보 이발사여서 불안했는데 당당하게 가위질을 하는 태식이의 모습이 상상 외로 믿음직스러웠다.

그 후 첫 직장으로 부산 근무를 하게 되면서 제대로 서비스를 받는 이발소에서 머리를 깎게 되었다. 이발사는 제일 먼저 "어떻게 깎아드릴까요?" 묻고는 머리를 깎으면서도 "이 정도면 됐느냐?"고 자주 확인 하면서 가위질을 하는데, 이런 분위기에 익숙지 않아서 '한 번 말했으면 알아서 깎아주면 될 것을 더럽게도 자주 묻는다'고 생각하면서도 싫지는 않았다.

이발이 끝나자 젊은 여자 면도사가 안면 면도를 준비하면서 뜨거운 물수건을 얼굴에 덮어 놓고 이마에서부터 조심스럽게 면도를 시작하였다. 날카로운 면도칼에 은근히 긴장도 되었지만 면도사의 부드러운 손의 촉감은 나쁘지 않았다. 면도를 마치고 골드 크림으로 마사지를 한 후에 손톱을 깎고 다듬어 주고, 귓구멍 청소까지 해 주는데 너무 시원해서 스르르 잠이 들었다. '하루를 행복 하려면 이발을 하라'는 영국

속담처럼 이발은 기분을 즐겁게 하는 묘한 매력이 있다.

그 후에 4인조 보컬그룹 비틀스의 노래가 전 세계를 휩쓸면서 그들의 장발 스타일이 유행되어 젊은 친구들이 미장원에서 머리를 깎기 시작하면서 여자 전용 미장원에 남자 출입이 시작된 것이다. 그렇다 보니 손님이 줄어든 이발소에서는 손님을 끌어드리기 위하여 퇴폐 이발소가 생겨나서 한동안 사회적 문제가 되기도 하였다.

시대의 흐름은 새로운 풍속도를 만들어 낸다. 요즘 젊은이들은 미장원에서 노랑머리, 빨강머리 염색을 하고, 입술에 루즈까지 바르는 화장을 서슴지 않고 한다. 남자 아이들이 귀를 뚫고 이어링을 하는 유행이 시작되었을 때 나이 드신 어른들은 경악을 하였지만 시간이 지나다 보니 이제는 귀엽게까지 보이다니 세상 참 아이러니하다.

최근에는 TV에서 옛날 이발소가 지금까지 영업을 하는 노포(老鋪)를 찾아서 신기한 소식으로 보도될 만큼 전통 이발소는 사라지고, 파마를 하고 있는 아주머니들 틈바구니에서 면도조차 받지 못하며 머리를 깎는 것이 불만인 친구 K가 남자 이발소를 찾는 것은 모든 할아버지들의 공통된 마음인 것이다.

지금은 이발사를 헤어 디자이너라고 부르고 이발소, 이발관, 이용원이라는 이름보다 남성 컷 전문점, 바버 샵(BARBER SHOP), 헤어 샵, 헤어 사롱, OO헤어라는 새로운 이름으로 변하였으니 유행의 힘은 정말 무섭다.

우거지

직장생활을 할 때 회사에서는 2개월 마다 사회 저명인사를 초빙하여 직원 교양강좌를 실시하였다. 한 번은 연탄가스 중독과 식초 요법으로 큰 화제를 모았던 연세대 이길상 박사를 초빙하여 '식생활과 건강'에 관한 강의를 듣게 되었다. 박사님은 강의를 시작하면서 시래기와 우거지의 다른 점을 아는 사람은 손을 들어 보라고 하셨다. 생소한 질문에 모두 눈치만 보고 있을 때 박사님은 설명을 시작하셨다.

시래기를 흔히 우거지라고 하는데 이는 틀린 것이고, 배추와 같은 푸성귀를 다듬을 때 뜯어낸 겉대를 우거지라 하고, 파란 무청을 새끼 등으로 엮어서 겨우내 말린 것을 시래기라고 하였다. 박사님 댁에서는 겨울이 다가와서 김장을 할 때 고춧가루, 마늘, 생강, 젓갈류와 같은 양념만 준비한 뒤에 배추는 사지 않고, 아내분과 함께 작업복으로 갈아입고 김장거리를 장만하러 가락동 농수산물 시장에 가서 버려진 무청과 배추잎을 주어와 김장을 담근다고 하셨다. 직원들이 어이가 없어서 서로 얼굴을 쳐다보며 다음 이야기를 기다렸다.

박사님은 시치미를 떼시고 우거지에는 철분이 다량 함유되어서 체내에 혈액순환을 원활하게 만들어 빈혈에 도움이 되고, 태아건강에 필요한 엽산은 임산부의 필수음식이며, 칼슘은 뼈와 치아를 튼튼하게 해주고 골다공증 예방에도 큰 도움이 되고, 칼로리가 낮고 풍부한 식이섬유가 포만감을 주어 다이어트에 효과적이며, 변비 예방에도 좋고, 독소와 노폐물 등의 발암 물질을 체외로 배출시켜주는 효과가 있어서 대장암 예방에 큰 도움이 되며, 비타민A는 눈의 피로를 풀어주어 눈 건강에 도움이 된다며, 한마디로 우거지는 만병 통치약이라고 하셨다. 직원들은 모두 웃음과 함께 박수를 쳤다.

박사님은 이렇게 좋은 음식을 놓아두고 젊은이들은 갈비집이나 스테이크 하우스를 가고 싶어하지만 주머니 사정으로 못 갈 뿐이고, 점심시간이면 돈까스집 앞에 장사진을 이루고, 갈비탕, 곰탕, 설렁탕, 사골칼국수로 점심을 해결하고, 저녁이면 햄과 소시지가 잔뜩 들어있는 부대찌개나 기름이 지글지글하는 삼겹살을 구어 놓고 소주 한잔을 마시는 직원들이 대부분이고, 짜장면보다 비싼 햄버거로 점심을 때우고, 치킨과 맥주로 스트레스를 해결하는 여직원들도 제법 된다고 하셨다.

살림살이가 힘들었던 전후시절에는 명절이나 생일날에 어쩌다가 먹던 고기를 경제성장으로 잘살게 된 요즘에는 매일같이 먹다 보니, 자연히 비만, 당뇨, 고혈압, 고지혈증, 복부비만과 각종 암을 유발시키는 성인병 환자가 급격하게 늘어나고 있는 현실이다.

박사님은 우리는 조상 대대로 먹어오던 시래기와 우거지는 기본이고, 정월 대보름날 먹는 오곡 밥과 아홉 가지 나물 같은 식물성 식단을 비롯하여, 콩을 이용한 두부와 간장, 된장, 고추장 같은 조미료에서 단백질을 섭취하여 건강을 지키도록 노력하라고 하셨다.

특히 우거지는 해장국을 비롯하여 우거지 된장국, 우거지 감자탕, 우거지 볶음, 우거지 나물 등 다양한 음식을 만들어 먹을 수가 있고, 시래기 밥은 최고의 건강식품이라고 강조하셨다.

이 때 직원 하나가 손을 들면서 질문을 하였다. "육식을 하면 성인병의 원인이 된다고 하셨는데, 고기를 주식으로 하는 서양 사람들은 어째서 성인병에 걸리지 않느냐?"고 물었다.

박사님은 좋은 질문이라고 하시며, 오천년 역사를 이어오는 우리 민족은 김치를 기본으로 각종 채소와 나물 같은 식물성 음식을 먹고 살아와서 풀을 주식으로 하는 소같이 성격이 온순하고 내장의 길이가 엄청나게 길지만, 고기만 먹고 살아 온 사자를 닮은 서양 사람들은 성격이 난폭하고 공격적이며 내장이 아주 짧다고 하셨다. 서양 사람들의 내장은 동양 사람보다 짧아서 고기를 먹어도 성인병을 발생시키는 요소들이 체내에 남지 않고 모두 배출되지만, 동양 사람들은 내장이 길어서 성인병의 원인이 되는 각종 찌꺼기를 깨끗하게 배출시키지 못하고 체내에 남기 때문에 성인병의 원인이 되는 것이라고 하셨다. 설명을 듣고 보니 송충이는 솔잎을 먹고, 누에는 봉입을 먹고 살아야 한다는 말이 생각났다.

참고로 실온에서 고체 형태를 유지하는 동물성 기름에 많이 들어있는 포화지방산을 과다하게 섭취하면 혈중 콜레스테롤이 상승하여 비만의 원인이 되고, 계란, 두부와 고등어나 연어처럼 등푸른생선에 들어있는 오메가3 같은 불포화지방산은 심혈관질환에 도움이 된다고 하시며, 우리의 김치가 세계 5대 건강식품으로 선정되었고, 비빔밥이 건강식으로 세계인들의 주목을 받고 있는 것에 자부심을 가지고, 건강한 식생활로 행복한 삶을 즐기라고 하시며, 마지막으로 질문할 것 있느냐고 물으셨다.

한 친구가 손을 번쩍 들면서 "박사님! 가락시장으로 우거지를 주우러 가신다는 말은 뻥이죠?" 박사님은 빙그레 웃으시며 자리를 뜨셨다.

묘비명(墓誌銘)

라틴어로 메멘토 모리(Memento Mori)는 자신의 죽음을 인정하라는 뜻이다. 그런데 사람들은 자기는 죽지 않는 것처럼 착각을 하고, 하루하루를 헛되게 낭비하며 살아가는 경우가 많다. 오늘이 내 인생에 마지막 날이라고 생각하며 살자. 지금까지 살아온 그 어떤 날보다 즐겁게 노래하고, 춤을 추고, 뜨겁게 사랑하며 후회 없이 하루를 열심히 살자. 세상을 떠나는 아름다운 죽음은 나에게 주어진 숙제를 마치는 날이다.

늦은 나이에 수필로 문단에 등단을 하고 난 후 선배이신 김대규 시인님께 인사를 드리러 가야겠다고 마음을 먹었지만 오랫동안 소식을 전하지 못하고 지내다가 불쑥 찾아 뵙는 것이 쑥스러워서 차일 피일 미루다가 지병으로 별세하셨다는 비보를 듣고 얼마나 가슴이 아팠는지 모른다.

노인은 내일 어떤 일이 발생할지 모르기 때문에 오늘 할 수 있는 일을 내일로 미루면 안 된다는 어떤 분의 말이 떠오른다. 며칠 전 도서관에 갔다가 김대규 선배님의 '당신의 묘비명에 뭐라고 쓸까요?' 칼럼집을 발견하고 2층에 마련된 어르신 존에 앉아서 읽다가 허리가 아파 다 읽지 못하고 대출을 하여 집에 와서 밤새도록 읽었다.

열심히 마셨고, 열심히 피웠다.
열심히 읽었고, 열심히 썼다.
열심히 사랑했고, 열심히 방황했다.
열심히 홀로였고, 열심히 외로웠다.
열심히 아팠고, 열심히 거듭났다.
열심히 살았고 열심히 죽는다.

선배님의 묘비명은 한 마디로 인생을 열심히 즐기신 카르페 디엠 인문 정신의 실천이다.

우리에게 잘 알려진 묘비명 중에서 기억에 남는 몇 개를 여기에 적어 본다.

'나 하늘로 돌아 가리라. 아름다운 이 세상 소풍 끝내는 날 가서 아름다웠다고 말 하리라' -천상명 시인-

'우물 쭈물하다 내 이럴 줄 알았다' -죠지 버나드 쇼-

'자기보다 잘난 사람을 곁에 모아 둘 줄 아는 사람 여기 잠들다' -앤드류 카네기-

'내가 죽으면 술통 밑에 묻어 줘 운이 좋으면 밑둥이 샐지도 몰라' -모리야 센얀-

묘비명은 이렇게 고인을 기념하는 명문이나 시문을 일컫는데 자기가 없는 세상에서 자신을 표현하는 마지막 글이고, 남아있는 사람들에게 마지막으로 전하는 말을 묘비에 새겨두는 것으로 서양에서 주로 쓰여왔다.

우리의 전통 비문은 조선시대부터 한문을 사용하여 제일 먼저 품계와 관직은 상례(喪禮)이고, 직명과 직함을 쓰고, 관직이 없으면 호를 쓰고, 본관과 성명을 작성하는 것이 기본이지만 최근 들어서 획일적으로 쓰였던 한자 묘비명에서 벗어나 격식 없이 자유롭게 고인을 추모하거나 고인이 생존 시에 가르침의 의미를 기록하는 경우가 많아 졌다고 한다.

다섯 자 비명이 훌륭하다는 사람들도 있다. 다섯 자 비명은 한자 전용 비문에서 살짝 벗어난 형식으로 우리 정서에 크게 벗어나지 않아서 일반인들 사이에 많이 사용하는데, 현대그룹 정주영 회장님께서도 생전에 이룩해 놓은 많은 업적들을 기록하지 말고 '鄭周永之 墓'라고 다섯 글자만 써달라고 하셔서 그 말에 따랐다고 한다.

나의 묘비명은 뭐라고 쓸까?

나는 수필가로 불리는 것이 좋다. 옛날 같으면 뒷방 늙은이 신세가 되어있을 나이에 문단에 등단하였다. 인생 제2막에 수필가의 삶을 누렸기에 카네기 묘비명처럼 '수필가 본도 여기 잠들다'를 생각해 보았고, 다섯 자 묘비명이 훌륭하다는 정주영 회장님처럼 '隨筆家 本道之墓' 도 생각해 봤다. 아들아! 아버지는 너를 사랑하였고 너를 믿었다. 어떤 선택을 하든지 최후의 결정은 살아있는 사람의 몫이다.

제 6 부 뭘 먹고 살아야 하나

산 불

한국 전쟁이 끝난 직후였다. 어쩌다가 마을에 영화가 들어오는 날이면 넓은 공터에 휘장을 둘러치고 바닥에는 가마니를 깔아서 가설 극장을 만들어 놓고 해가 져서 어두운 밤이 되면 영화를 상영하였다. 미국인지 영국인지 알 수 없지만 울창한 나무가 우거진 영화 속에 푸른 산을 보면서 저 산에 가서 나무를 하면 쉽게 한 지게를 할 수 있겠다는 생각을 했던 적이 있었다.

당시에 사회는 혼란하고 먹거리가 귀하다 보니 산이나 들에서 먹을 수 있는 나무 잎은 물론 뿌리까지 뽑아서 식량 대용을 하였고, 땔거리조차 없다 보니 집집마다 산으로 나무를 하러 가서 눈에 띄는 나무는 모조리 베어왔다. 땔감으로 쓸만한 나무가 모두 없어지자 나무 뿌리까지 캐러 다녔으니 우리나라의 모든 산은 풀 한 포기 없는 새빨간 민둥산이 되어버렸다.

학교에서는 식목일에 산으로 나무를 심으러 갔고, 동네에서도 집집마다 남녀 노유를 불문하고 한 사람씩 인근 산에 나무를 심는 부역에 참여했는데, 참석하지 않는다고 해서 어떤 불이익을 받지는 않았지만 나라에서 하는 일에 협조했던 것이 우리나라를 잘 살게 만든 새마을 운동의 밑바탕이 되었다고 생각된다.

육림의 날(11월 첫째 토요일)에는 전국의 모든 직장인, 학생, 군인, 주민들이 참여하여 봄에 심은 나무에 비료를 주고, 잡목을 솎아내고, 가지치기와 같은 조림작업을 하였다. 산으로 가는 입구에는 애림녹화(愛林綠化) 간판이 곳곳에 세워지고 온 국민이 나무를 심고 가꾸는 일에 참여하여 오늘의 푸른 산을 만들어 놓았다.

이렇게 온 국민이 땀을 흘리면서 정성스럽게 가꾸어 놓은 푸른 산이 어처구니 없는 산불로 인해 쑥대밭이 되어가고 있다.

23년 4월, TV 뉴스는 몇 일째 산불 소식뿐이다. 이쪽 저쪽 모든 채널을 돌려봐도 똑같이 산불 소식뿐이다. 강릉 대형 산불이 완전히 진화되지 않았는데 홍성에서 산불이 발생되었고, 전남 함평, 경북 영주, 경남 합천 심지어 서울 인왕산에서도 산불이 발생되었다는 소식에 많은 사람들의 가슴을 애태웠다. 산림청 발표에 의하면 올해 들어서 크고 작은 산불이 497건이 발생하였고, 여의도 면적에 16배가되는 4,654ha의 엄청난 산이 피해를 입었다고 한다.

산불로 인해서 폐허가 된 산을 복구하려면 얼마나 오랜 시간이 소요되고, 얼마나 많은 인력이 필요할까? 산불을 예방하는 대책은 없을까?

젊은 시절에 싱가포르 여행을 갔을 때 깨끗한 거리를 보고 큰 감명을 받은 적이 있다. 아시아에서 치안이 가장 안전하고 평화로운 나라가 된 것은 총기에 관한 범죄에는 사형을 집행하였던 결과라고 하며, 무단횡단, 껌 씹기, 쓰레기 투기, 지정된 장소 밖에서 흡연하는 등의 행위에 엄청난 벌금을 물 수 있다고 가이드의 주의 사항을 듣고 보니 처벌규정은 반드시 필요하다는 것을 새삼 느꼈다.

그렇다. 우리는 산불을 방지 할 수 있다. 무슨 일이든 원인을 알면 정답이 보인다고 했다. 산불은 고의적으로 불을 지르지 않는 한 작은 불씨만 없다면 발생되지 않는다.

그렇다면 작은 불씨는 어디에서 생겼을까? 산에서는 어떤 불씨라도 허용해서는 안 된다. 특히 취사는 절대로 용납 할 수 없고, 누군가 무심히 피우던 담배 꽁초나 자신도 모르게 떨어진 담배 불똥이 대형 산불을 발생 시킬 수 있다. 산에는 성냥이나 라이터를 소지하고 입산을 하면 안 된다. 산 근처 농가에서는 정해진 거리 내에서 밭이나 논둑의 풀을 태우거나 아이들이 불장난을 해서는 안 되는 것만 지켜도 산불의 원인이 되는 불씨는 생기지 않을 것이다. 규정을 위반했을 경우에는 싱가포르와 같이 엄중한 처벌로 다스린다면 푸른 산을 화마로 잃어버리는 슬픈 일은 생기지 않을 것이다. 힘들여 일궈놓은 푸른 산이 허무하게 사라지지 않도록 우리 모두의 절실한 노력이 필요한 것이다.

뭘 먹고 살아야 하나?

종편 방송국이 생기면서 TV 채널을 돌리다 보면 어느 방송국에서 어떤 방송을 하는지 알 수 없을 정도로 다양한 프로그램이 방영되어 자기의 취향에 맞는 방송을 얼마든지 선택해 볼 수가 있다.

그 많은 프로그램 중에서 유독 건강에 관한 의학상식과 건강식품에 관한 프로가 눈에 띄게 많은 것은 백세 시대를 살아가는 사람들의 관심도가 그만큼 많기 때문일 것이다.

며칠 전 특별하게 볼만한 프로가 없어서 이리 저리 채널을 돌리다가 의사, 한의사, 식품 영양학 교수들이 출연한 건강식품에 관한 프로그램을 보게 되었다. 출연자로 나온 한의사는 우리가 주식으로 먹는 쌀과 밀가루와 설탕이 우리 몸에 좋지 않다는 '삼백식품(三白食品)'에 대하여 열변을 토하고 있었다.

삼백식품이 몸에 좋지 않다는 것은 이미 알려져 있어서, 흰쌀밥 보다는 현미나 잡곡밥을 먹고, 흰밀가루 보다는 통밀가루를 먹고, 설탕은 가급적 많이 먹지 말라는 것은 이미 사람들이 알고 있는 사실이다.

그러나 일부 학자들은 "쌀의 탄수화물은 과일과 야채 반찬을 잘 챙겨 먹으면 현미밥이나 잡곡밥을 먹지 않아도 건강을 해치지 않고, 밀가루는 소화기능을 보강하고, 위장을 튼튼하게 한다고 동의보감에 나와 있는 약재로서 스트레스가 많은 날 국수를 먹으면 마음을 진정시켜 주는 세로토닌이라는 물질이 발생하여 마음을 진정시켜 주는 효능이 있으며, 설탕은 오래 전부터 피로할 때 냉수에 타서 마시던 민간요법으로 사용되기도 하였다."고 한다.

한국전쟁이 끝난 직후 먹거리가 귀하여 배고픔에 허리띠를 졸라매고 살아 온 내 또래 늙은이들은 받아들일 수 없는 이야기이다. 그렇게 몸에 나쁘다면 우리 민족이 수천 년을 먹어왔던 쌀과 밀가루와 설탕을 없애버리란 말인가? 지금도 북한에서는 흰쌀밥에 고깃국을 먹는 것이 소원이라고 하는데 세상은 참으로 상전벽해(桑田碧海)라 해야 할까? 아무리 국민건강을 위한 방송이라고 하지만 출연한 식품공학 교수의 괴변은 이해를 할 수 없다.

사과는 과일 중에서 농약을 가장 깊숙하게 흡수하기 때문에 유기농 사과를 먹도록 하고, 감자는 재배기간 내내 땅속에 묻혀서 자라기 때문에 땅속에 스며든 농약이 뿌리에 흡수되어 아무리 씻어도 농약 성분이 제거되지 않아서 유기농 감자를 먹는 것이 좋고, 우유는 빵, 과자, 치즈에 필수적으로 들어가는데 성장 촉진제를 맞힌 젖소에서 짜낸 우유를 오래 마시면 각종 암의 원인이 된다고 한다. 소고기, 돼지고기, 닭

고기, 계란에는 사료 중에 항생제가 들어있어서 좋지 않고, 생선이나 소금도 원자력 발전소에서 유출된 방사능으로 오염되었을지 모르기 때문에 먹지 말라고 한다.

우리 밥상에서 평생을 먹어온 두부에는 제조과정에서 석회가 들어가고, 콩나물을 키울 때 빨리 성장하라고 비료를 주거나 방부제를 넣는다는 소문이 있어서 한 때 사회문제가 되었던 적은 있었지만 이것저것 모두 몸에 나쁘다면 이 세상에 먹을 것은 하나도 없다.

그럼 도대체 뭘 먹고 살라는 것인가? 어렵던 시절에 먹던 보리밥 식단이 요즘에는 맛집으로 인기가 있고, 시래기가 건강식이 되어서 무는 잘라 버리고 잎과 줄기만 말리는 시래기 농사가 재미를 본다고 한다.

유기농 사과가 좋고, 방목하여 신선한 풀을 먹고 자란 소고기가 좋고, 유정란이 좋다는 것도 이해하지만, 단돈 몇 백원이라도 아끼려고 집 앞에 있는 마트를 지나 재래시장까지 걸어가서 콩나물과 두부를 사오는 주부들이 있다는 현실을 무시하는 것은 적절치 못한 것 같다.

나의 불만의 소리를 들은 아내가 한 마디 한다. “먹을 것이 귀하던 시절에 쌀 한줌에 시래기를 잔뜩 넣어 분량을 늘려서 쌀알이 보이지 않는 시래기 밥을 만들어 먹고, 늙은 호박에 밀가루를 풀어 넣은 호박죽도 배불리 먹지 못하고 살아온 우리의 어린 시절이었는데, 요즘 아이들은 치킨, 피자, 스테이크, 햄버거와 같은 서구 음식에 입맛이 길들여지면서 소아 비만까지 걱정을 하는 세상이 되었는데, 우리 같은 늙은이들이 살아봤자 앞으로 얼마나 더 살겠다고 음식을 가려먹을 필요가 있겠어요? 먹고 싶은 것이 있으면 이것 저것 따지지 말고 맛있게 먹는 것이 좋을 것 같아요!"

"맞아요! 당신 말이 정답입니다."

나는 전도사입니다

비 오는 날이면 사람들은 부침개를 부쳐 먹자고 한다. 왜 그럴까? 공기 중에 습기가 많으면 기압이 낮아져서 공기가 위로 올라가지 않고 낮게 퍼지는데, 비 오는 습한 날씨에는 프라이팬에서 지져지는 기름 냄새가 아래로 퍼지기 때문에 식욕을 자극하는 것이 이유라고 어떤 책에서 읽은 적이 있다.

전(煎)은 팬에 기름을 두르고 야채, 생선, 육류 등 각종 재료를 얇게 부쳐낸 음식으로 파전, 부추전, 김치전과 같이 밀가루나 기타 반죽이 주가 되어 넓적하게 부쳐서 썰어먹는 일명 부침개가 있고, 호박전, 생선전, 산적, 육전, 고기 완자(동그랑땡) 같이 주재료에 밀가루를 묻힌 뒤 계란 옷을 입혀서 부쳐내는 두 종류로 구분 할 수 있을 것 같다.

전(煎)은 특별하게 기술을 필요로 하지 않고 비교적 만들기가 쉬운 편이어서 설이나 추석 같은 명절에는 부엌일이 서투른 새 며느리가 담당했지만 익는 정도를 일일이 살피면서 부쳐야 하기 때문에 품이 많이 가는 편이다. 특히 녹두전 같이 크게 부쳐서 잘라먹는 전은 그나마 수

월한 편이지만 호박전, 산적, 고기 완자 같이 한 입 거리로 조그마하게 부쳐내는 전은 시간이 많이 걸려서 팔, 다리, 허리, 어깨가 아파지는 중노동이다.

예전에는 전을 부칠 때 솥뚜껑을 뒤집어 놓고 장작불을 때면서 돼지 껍질로 기름칠을 하며 마당에서 부치다 보니 설날같이 추운 날씨에는 무척 애를 먹었다고 한다.

지난 설날이었다. 아내가 나이가 들어가면서 명절 음식을 만드는 것이 예전 같지 않게 힘이 든다고, 떡국과 갈비찜만 준비하고 전이나 부쳐서 간소하게 보내는 것이 어떻겠냐고 하였다.

"참으로 잘 생각했다!" 칭찬을 하고 전(煎)은 내가 부쳐 주겠다고 하였더니 자신 있느냐고 묻는다. "이 사람아! 어르신 요리교실을 세 번이나 수료했고, 지난 학기에는 모듬전 수업까지 받았으니 걱정하지 말아라"고 하였다. 아내는 고맙다고 하면서 밑간을 하고 밀가루를 묻히는 것까지는 자기가 도와주겠다고 하였다.

제일 먼저 동태전을 부치기로 했다. 아내는 밑간을 해 두었던 동태에 물기를 꼭 짜고 밀가루를 입혀주었다. 나는 밀가루를 입힌 동태에 계란 물을 씌어서 달궈진 프라이팬에 올려 놓았다. '치익~ 지글지글~' 맛있는 기름 냄새가 나면서 동태포는 익어간다.

전을 부칠 때 가장 조심해야 할 것은 불이 너무 강하면 전이 탈 수 있고, 불이 약하면 익는데 시간이 걸리기 때문에 불조절을 잘 하는 것이 전을 부치는데 제일 중요한 과제인 것이다. 동태전을 다 부치고, 육전을 부치고, 호박전 그리고 고기 완자를 부쳤다. 큰 소리를 치면서 시작을 하였지만 시간이 지나면서 어깨가 아프고, 허리가 아파오기 시작했다.

전을 부쳐보지 않은 사람들은 전 부치는 것이 얼마나 힘이 드는 줄 모른다. 정말 생각보다 힘들고 온 몸이 아프다. 이렇게 힘이 드는 일을 여자들은 평생을 해왔으니, 그동안 도와주지 않은 것이 미안하다는 생각이 든다.

예전에는 남자가 부엌 출입을 하면 고추가 떨어진다고 멀리 하였지만, 주거 환경이 아파트로 변하며 부엌이 주방이라는 용어를 사용하게 되면서 남자들의 주방 출입이 자연스럽게 되었고, 맞벌이 부부가 늘어가면서 가사 일을 분담하는 것이 당연시 되어 부엌은 남녀 공동의 일자리로 변화되고 있는 것이다.

요리를 배운 후로 평상시에도 아내를 도와 주려고 전을 종종 부친다. 부추전, 김치전, 가지전, 두부전, 배추전, 무전 등 아내는 갈수록 실력이 좋아진다고 추켜 세운다. 칭찬은 고래도 춤추게 한다는 말처럼 계속해서 부려먹기 위한 작전임을 알면서도 아내가 즐거워하면 내 마음 역시 즐겁다.

요즘에는 동태포를 떠서 팔고, 정육점에서 육전을 부치기 편하게 썰어주기 때문에 준비 과정도 많이 편해졌다. 며칠 전에는 새송이 버섯,

햄, 게맛살, 꽈리고추와 단무지를 꽂이에 꽂아서 산적을 만들었더니 아내가 "이제 도사가 다 됐다"고 치켜 세운다. 기분이 나쁘지 않다.

"맞았어요! 나는 전(煎)도사입니다."

민들레 이야기

어린 시절에 뛰어 놀던 고향 마을에는 뚝방길이 있었다. 뚝방길은 곧게 뻗어 있어서 동네 친구들과 달리기 시합도 하고, 연날리기도 하며 놀았는데, 봄이 오면 민들레 꽃이 지천에 피어나서 노란 카펫을 깔아 놓은 것 같이 예쁘고, 꽃이 지고 난 후에 하얀 홀씨를 훅하고 불면 넓게 퍼져나가는 꽃씨를 보며 즐거워했던 추억이 있다.

하루는 할머니가 민들레를 뜯으러 가신다고 해서 따라 간 적이 있었다. 할머니는 뿌리가 몸에 좋다고 하시며 칼을 깊게 꽂으면서 민들레를 캐셨지만 뿌리가 너무 길어서 중간에 끊어져서 나오곤 했다. 나는 힘이 부족해서 뿌리는 캐지 못하고 이파리만 뜯었는데, 한 번 잘려진 뿌리에서는 새봄이 오면 다시 새싹이 솟아 난다고 하셨다. 어머니는 뜯어온 민들레로 김치를 담그셨다. 민들레 김치는 쌉쌀한 맛이 고들빼기 김치 맛과 비슷하지만 그때는 맛이 없다고 먹지 않았던 것 같다.

민들레는 어디서나 매우 흔하게 볼 수 있는 다년생 식물로 톱니 모양의 잎새 사이에서 올라오는 꽃대에 피어나는 노란 꽃은 귀엽고 예쁘지만, 향긋한 꽃내음을 풍기는 다른 꽃과 다르게 민들레 향기는 열대 과일 두리안과 흡사한 기분 나쁜 냄새가 난다.

근래에는 도시 한복판 보도블록 틈바구니에서도 민들레 꽃을 쉽게 볼 수 있다. 하지만 이들 민들레는 우리 토종 민들레가 아니고 서양에서 들어 온 외래종이라고 하는데, 외래종 민들레는 자가 수분을 하기 때문에 같은 종끼리만 수분을 하여 씨앗을 맺는 토종 민들레에 비하여 엄청난 번식력을 가지고 있다는 것이다.

님 주신 밤에 씨 뿌렸네
사랑의 물로 꽃을 피웠네
처음 만나 맺은 마음
일편단심 민들레야

조용필이 부른 노랫말 가사에 나오는 '일편단심 민들레'라는 말도 여기에서 유래된 것 같다.

민들레는 꽃이 노랗지만 하얀 민들레도 있다. 퇴직을 한 후에 텃밭 농사를 짓겠다고 얼마 동안 산골 생활을 하였을 때 이곳저곳에서 피어 있는 하얀 민들레를 캐어와서 정원 한쪽에 만들어 놓은 작은 화단에 심어놓고 하얀 꽃이 피어나기를 기대했지만, 어찌된 일인지 모두 죽어 버려서 얼마나 아쉬웠는지 모른다. 하얀 민들레는 토종이라고 하는데 근래에는 토종 민들레를 보기가 쉽지 않은 것은 그만큼 환경에 민감하기 때문인 것도 있지만 무분별한 채취가 더 큰 문제인 것 같다.

하루는 아내와 산책을 나갔다가 길에 피어있는 민들레 꽃봉오리를 따와서 꽃차를 만들어 보겠다고 뜨거운 물에 살짝 데쳐서 햇볕에 널어놓았는데, 저녁에 걷으려고 가보니 봉오리가 온통 하얀 홀씨로 활짝 피어있는 것이다. 삶은 꽃봉오리가 죽지 않고 다시 피어나다니 속된 말로 죽은 꽃도 다시 살아나는 힘이 있어서 우리 몸에도 좋은 모양이다.

민들레 뿌리는 한의학에서 소화제, 해열제로 쓰이고, 차로 마시거나 나물이나 쌈 채소로 쓰기도 한다. 근래에 들어 민들레가 몸에 좋다는 소문으로 찾는 사람이 많아지면서 농가에서 재배하는 곳도 생겨났고, 다른 채소보다 가격도 비싼 편이다.

요즘도 가끔씩 보도블록 사이에 피어난 민들레 꽃을 볼 때면 어린 시절 할머니와 함께 민들레를 뜯던 뚝방길이 생각난다.

플랜 75

한적한 도시 공원에서 쉬고 있는 노인에게 공무원이 다가와서 따뜻한 스프를 대접하며 죽음을 권유한다. '태어날 때는 선택을 할 수 없었지만, 죽을 때는 원하는 날 죽을 수 있다'며 웃는 얼굴로 설명하는 공익광고에 노인이 등장한다.

일본 정부가 75세가 되는 국민에게 죽음을 선택할 수 있는 '플랜 75(PLAN 75)'제도를 도입하면서 노인들의 적극적인 참여를 홍보하는 이 모습은 현실이 아니고 22년 부산국제영화제 마지막을 장식한 폐막작으로 상영된 일본 영화 '플랜 75'의 내용이다.

"75세 인가요? 이제 죽는 것이 어때요?" 회생 가능성이 없는 환자가 연명치료를 받지 않고 생을 마감하는 존엄사의 조건이 아니다. 해당 업무의 공무원들은 노인들에게 죽음을 권유하고, 이 제도를 선택한 노인들에게는 위로금 10만엔(약 100만원)을 지급하여 마지막으로 맛있는 외식도 하면서 온천여행을 즐기며 '그날'을 준비하게 한다. 이러한 홍보 영화가 우리의 가슴을 섬뜩하게 만드는 이유는 우리에게도 다가올 수 있겠다는 우려 때문이기도 하다.

일본은 얼마 남지 않은 2025년이면 인구 5명 중에 1명이 75세가 되는 초고령사회로 접어들게 된다. 저출산과 노인 인구의 증가로 부족한 노동력이 더욱 감소되어 경제가 활력을 잃게 되고, 의료비와 사회보장비가 증가되는 비용은 젊은 세대들 사이에서 자기들이 번 돈으로 노인을 부양해야 한다는 부정적 생각을 갖게 한다. 그러면서 자신도 늙고 병든다는 것을 알지만 노인을 혐오하고 배제하는 분위기가 확산되고 있는 것이다.

플랜 75가 비록 영화 이야기에 불과 하지만 현실적으로 일본 사회에서 많은 사람들이 긍정적으로 받아들이고 있는 이유는 옛날부터 장엄한 죽음을 통하여 영주에게 충성과 충절을 숭고하게 표현하였던 사무라이 정신이 이어져 내려오기 때문이다. 제2차 세계 대전 말기에 국가가 군인에게 자살을 명령한 것으로 전투기에 폭탄을 싣고 미국의 전함에 충돌하여 자살 공격을 하였던 가미가제 특공대와 같이 개인의 생명을 경시하는 최악의 행위를 실천하였던 일본이기에 비인간적인 플랜 75의 계획도 성공할 가능성이 있을 것 같다고 조심스럽게 추측해 본다.

우리의 현실은 어떤가?

지난 2022년 연말에 통계청이 발표한 자료를 보면 65세 이상 고령인구는 901만 8천명으로 지난해에 비하여 5.2%(44만 7천명) 늘었고, 오는 2025년이면 고령 인구 비중이 20.6%로 높아져서 일본과 같은 초

고령사회로 진입할 것으로 예상하였다.

더욱 심각한 문제는 2018년 국가인권위원회가 전국의 65세 이상 노인을 대상으로 한 실태조사 자료에서 '죽고 싶다는 생각을 해본 적이 있느냐?'는 질문에 대하여 26%가 '그렇다'고 응답 했다는 것이다.

그만큼 우리의 노인 문제는 심각한 상태이다. 옛날부터 우리나라는 늙고 쇠약한 부모를 산속의 구덩이에 버려두었다가 죽은 뒤에 장례를 지냈다는 고려장이란 풍습이 설화(說話)에서 전해지고 있듯이 노인 문제는 고금을 막론하고 쉽게 해결할 수 없는 어려운 문제임에 틀림없다.

더구나 83.1%가 존엄사를 찬성하며 무의미한 연명치료에 반대한다고 답했다는 것은 가족과 사회로부터 외면당하고 사회 안전망이 취약하여 빈곤과 절망 속에 살고 있는 우리 노인들의 현실을 잘 보여주고, 노인 자살률이 OECD(경제협력개발기구) 국가 중에서 1위라는 불명예스러운 현실은 방광만 해서는 안될 심각한 문제이다. 플렌 75가 영화 속의 이야기지만 우리도 한번쯤은 진지하게 검토해 볼 문제인 것 같다.

개 망 초 꽃

소설가 박완서씨는 노후에 오래 살았던 아파트를 떠나 전원생활을 하면서 “우리집 마당에는 백 가지도 넘는 꽃이 핀다”고 늘 자랑을 하셨다고 한다.

봄이 오면서 복수초가 눈 속에서 피어나고 민들레, 제비꽃, 할미꽃이 피어난다. 남녘 매화마을에 매화꽃이 봉우리를 터트리면 TV에서는 어김없이 꽃소식을 전하는 생방송을 하고, 벚꽃이 필 때면 온 동네가 벚꽃놀이를 떠난다고 시끌벅적하다. 대부분의 사람들은 꽃을 좋아해서 사랑하는 연인에게는 빨간 장미를 선물하고, 어머니 가슴에는 카네이션을 달아드리고, 하얀 국화꽃으로 단장한 꽃차를 타고 인생의 마지막 길을 떠난다.

이렇게 꽃은 많은 사람들의 사랑을 받지만 어느 한 사람 따뜻한 눈길 한 번 주지 않아도 해마다 6월이면 끈질기게 피어나는 꽃이 있다. 바로 개망초 꽃이다.

망초(亡草)는 구한말 개화기에 나라가 망할 때 들어 왔다고 해서 망

국초라 불려지기도 하고, 씨를 뿌리지 않고 가꾸지 않아도 풀이 자라는 곳이면 논밭이나 들판에 지천으로 깔려있다. 망초는 워낙에 번식력이 강하여 가뭄에도 잘 견디고, 제초제에도 잘 죽지 않아서 농사를 짓는 분들에게는 골치덩어리 잡초이다. 뽑아도 뽑아도 끝이 없다 보니 오죽하면 "개 같은 놈의 풀!", "망할 놈의 풀!"이라고 진저리를 치면서 개망초라는 이름이 생겨났다는 설(說)도 있다.

망초는 새봄에 여린 순을 나물로 먹기도 하는데 보드랍게 삶아진 망초나물은 색깔이나 모양은 물론이고 맛까지 취나물과 비슷해서 구분하기 힘들 정도이지만, 사람들은 뜯기 힘든 취나물만 선호하고 흔해 빠진 개망초는 나물로 여기지 않고 잡초 취급을 해버리는 이유를 잘 모르겠다.

세상에 개복숭아, 개살구, 개떡과 같이 명사 앞에 '개'자가 붙으면 대체로 부정적으로 알고 있지만 개망초꽃은 망초꽃에 비하여 훨씬 더 예쁜 것이 신기하다.

자세히 보아야 예쁘다
오래 보아야 사랑스럽다
너도 그렇다

나태주 시인의 '풀꽃'이라는 시이다. 개망초꽃은 얼핏 보기에 볼품

없지만 계란프라이를 닮았다고 해서 계란꽃이라고 할 만큼 자세히 보아야 예쁘고, 오래 보아야 사랑스럽게 느껴진다.

나태주 시인이 개망초꽃을 보고 너무 예뻐서 시를 쓰셨지만 개망초란 이름이 시 제목으로 어울리지 않아서 '풀꽃'이라는 예쁜 이름을 주신 것 아닐까? 엉뚱한 생각을 해 본다.

어느 날 퇴근을 하고 집에 들어갔더니 장식장 위에 평소에는 사용하지 않는 백자 항아리에 개망초꽃이 가득하게 꽂혀 있었다. 왜 개망초꽃이냐고 아내에게 물으니, 이천에 사는 친구 집에 놀러 갔다가 밭 둔덕에 피어있는 개망초꽃이 안개꽃처럼 예뻐서 꺾어 왔다며, 개망초꽃으로 꽃꽂이를 하는 사람은 이 세상에 자기가 최초일 것이라며 웃는다. 사람이나 동물이나 심지어 들에 피어나는 개망초꽃까지 임자를 잘 만나야 팔자가 피는 것 같다.

세상에 쓸모 없는 것은 아무것도 없다. 농부들의 골칫거리고 가축의 사료가 되거나 퇴비로 썩어버릴 개망초의 신세가 백자 화병에 꽂혀서 거실 한가운데 자리를 잡고 있다니, 세상 일은 내일 어떻게 될지 아무도 모르는 것 같다.

선생님과 치매

나에게는 멘토 선생님이 한 분 계시다. 고등학교 9년 선배이신 선생님은 S대를 졸업하시고 군 복무를 마치신 후에 모교 선생님으로 부임하셨다. 별로 무섭지 않은 조용한 성격인데도 선배라는 고정관념 때문인지 선생님의 수업시간은 재미가 없는 과목이었지만 한 명도 졸거나 떠드는 아이들이 없을 정도로 선생님은 위엄을 갖고 계셨다.

졸업 후 직장 생활을 하면서도 선생님과는 꾸준히 연락을 하며 지냈는데, 얼마 전에 안부 전화를 드렸더니 사모님께서 전화를 받으시며 선생님 건강이 좋지 않으시다고 하시는 목소리가 심상치 않았다. 어디가 편찮으시냐고 하였더니 치매 증상이 있다고 하신다. 치매라는 소식에 더 묻지도 못하고 토요일 오후 선생님 댁을 찾아갔다. 현관문을 열어주시며 맞아 주시는 선생님의 모습은 평상시와 별다른 특이점을 느끼지 못하였는데 사모님 말씀이 초기여서 그렇다고 하신다.

이런 저런 대화를 나누다가 거실 한 쪽 테이블 위에 반짝이는 은빛 플루트가 눈에 띄었다. 플루트를 누가 부느냐고 물었더니 치매에 도움이 된다고 해서 배우시는데 잘 안 된다고 하신다. 동생이 퇴직을 하고 여가 시간을 보낸다고 플루트를 배우는데 무척 어렵다는 말을 들은 적이 있어서 "악기가 치매에 효과가 있다면 제가 오카리나를 3년 넘게 배웠는데 가르쳐 드리면 어떻겠나요?" 하였더니, 오카리나가 쉬우냐고 물으신다. 전문적으로 잘 불려면 어렵겠지만 아이들이 학교에서 음악시간에 배우는 리코더처럼 열 개 구멍을 열 손가락으로 막을 수 있으면 누구나 불 수 있으니까 다음주부터 가르쳐 드리겠다고 하였다.

토요일이 왔다. 좋은 오카리나는 가격이 비싸서 제대로 불게 되었을 때 구입하시도록 하고, 연습용으로 오카리나와 악보대를 문방구에서 구입한 뒤 내가 공부하던 기초 교본을 준비해 가지고 선생님 댁을 찾았다. 선생님은 처음 보는 오카리나를 신기해 하시며, 한 번 불어보라고 하셨다. 내 생각으로도 수업 전에 오카리나 소리를 들려드리는 것이 좋을 것 같아서 평상시에 선생님이 술 한잔을 하시고 기분이 좋으실 때 흥얼거리던 노래 '번지 없는 주막'을 정성껏 불어드렸다. 연주가 끝나자 선생님은 손뼉을 치시면서 당신도 배우겠다며 가르쳐 달라고 하신다. 어린아이같이 순수한 모습이다. 이렇게 하여서 오카리나 수업이 시작되었다.

"오카리나를 보시면 밑면에 큰 구멍이 두 개있고, 표면에 구멍이 8개 있잖아요. 왼쪽 엄지와 오른쪽 엄지로 밑면에 큰 구멍을 하나씩 막고, 오른손 손가락으로 표면의 아래쪽 구멍 4개를 막고, 왼손 손가락으로 표면 위쪽 구멍 4개를 막으면 이것이 오카리나를 잡는 방법 입니다. 한 번 잡아보세요! 잘 잡으셨어요! 이대로 입에 대고 후~하고 길게 불어보세요. 후~! 잘 했어요. 이 소리가 '도'입니다. 다음은 후~하고 불면서 왼쪽 새끼 손가락을 살짝 떼어보세요. 잘 하셨어요. 이 소리가 '레' 입니다. 다음 손가락은 떼면 '미', 그 다음 손가락이 '파', 그 다음이 '솔'입니다. 아주 잘 하셨어요. 이제 오른쪽 손가락은 다 배웠습니다. 무척 쉽지요?" 오늘은 여기까지만 하고 다음 주일에 왼손을 배우기로 하겠다며 첫 날 수업을 마쳤다.

다음 토요일 두 번째 시간이었다. 지난 주에 배운 것을 한 번 해 보시겠어요! 선생님은 오카리나 구멍을 하나 하나 모두 막으시더니 도, 레, 미, 파, 솔을 힘들게 부셨다. 억지로 불었지만 "아주 잘 하셨다"고 칭찬을 해드렸다.

"오늘은 왼손을 연습하겠습니다. 지난 시간에 배운 '솔'을 한 번 불어 보세요." 선생님은 한참을 만지더니 '솔'을 부셨다. "아주 잘 하셨습니다. 이 상태에서 후하고 불면서 왼쪽 새끼 손가락은 그대로 두고 무명지 손가락을 살짝 떼면 '라'입니다. 한 번 해보세요!" 그런데 선생님은 무명지 손가락을 떼지 못하고 새끼손가락과 함께 두 손가락을 떼는 것이다. "아닙니다! 선생님! 무명지 하나만 떼 보세요!" 그런데 이상하게 이것이 안 되는 것이다. 다음 주에도 그 다음 주에도 손가락이 움직이지 않아서 라가 안 되는 것이다. 사모님께서 안 될 것 같으니까 이

제 그만 하자고 하신다. 이렇게 해서 오카리나 수업은 4주만에 실패로 끝났다.

그 후 얼마간의 시간이 지나갔다. 모처럼 전화를 드렸더니 선생님이 요양병원에 입원하셨다고 한다. 어디 병원이냐고 물었더니 용인에 있는 OO병원인데 코로나로 인해서 면회가 되지 않는다고 하신다. 그토록 똑똑하시고 깔끔하신 분께서 요양병원 생활을 어떻게 하고 계실까? 생각하니 남의 일 같지가 않다. 입원을 하신지 한 달 가까이 되었을까? 전화 벨이 울려서 받았더니 선생님이 전화를 하셨다.

"수광이니?"

"네 선생님! 건강은 좀 어떠세요?"

"나는 말이다 어딘지 모르는 곳에 나 혼자 있다."

"그러시군요, 그 곳에 친구분들이 많이 계시잖아요."

"나는 여기보다 집이 더 좋아! 또 전화 할게"

이렇게 두서없이 통화가 끝났다. 선생님 상태가 많이 안 좋으신가? 코로나 때문에 면회가 안되어 가 뵙지 못하는 것이 무척 죄송스럽다.

'따르르릉~' 잠시 후에 선생님 전화가 다시 왔다.

"수광이니?"

"네 선생님 접니다."

"그냥 걸어 봤다."

"그러세요? 방금 전에 전화 하셨잖아요?"

"그랬니? 그럼 끊는다."

이렇게 전화가 10분 후에 다시 오고, 또 다시 20분 후에 다시 오고, 또 다시 전화 벨이 울린다. 이번에는 죄송하지만 전화기를 엎어 놓고 받지를 않았다. 다음 날도 똑같은 전화가 시도 때도 없이 왔다. 어떻게 할 수가 없어서 사모님께 전화를 드렸더니 나뿐만 아니라 미국에 있는 딸까지 핸드폰에 전화 번호가 있으면 모두 거신다며, 전화가 와도 받지 말라고 하신다. 또 전화가 왔다. '따르릉~ 따르릉~' 전화를 받지 않는 마음이 죄를 짓는 것 같다. 참으로 딱한 일이다.

그 후 얼마 지나서 사모님한테서 전화가 왔다. 열흘 전에 선생님께서 하느님 품 안으로 가셨다며 코로나로 모일 수가 없어서 교회 성도님들과 간단하게 장례를 치르셨다고 하신다.

우리가 고령화사회로 진입하면서 노인 인구가 증가함에 따라 치매 환자 많이 늘어나고 있는데, 국내 치매 발병률이 2009년 8.4%이고, 나이가 5년씩 증가할 때마다 발병도 두 배씩 증가한다고 한다. 예전에는 치매를 망녕이라 부르고 거의 불치병으로 여겼던 병이지만 지금은 의학의 발전으로 불치병에서 벗어나 꾸준한 예방과 관리로 충분히 극복해낼 수 있다고 한다. 치매는 누구든지 걸릴 수 있는 아주 고약한 병이다. 나이 드신 분들은 조기 검진으로 치매에서 벗어날 수 있도록 관리에 최선을 다해야 할 것이다.

담 배

'늦게 배운 도둑질이 날새는 줄 모른다'는 속담이 있다. 어떤 일에 남 보다 늦게 재미를 붙인 사람이 그 일에 더 많은 시간을 쏟는다는 것을 비유적으로 이르는 말이다.

지금 세대들은 어떤지 모르지만 내가 학교를 다니던 시절에는 좀 논다는 아이들이 고등학교 때 담배를 피우기도 했지만 대체적으로 졸업을 하면서 담배를 배우기 시작하였다. 나도 대학 1학년 때 새내기들이 교정 한 모퉁이에 모여 담배를 피우며 대화를 나누는 모습이 멋있게 보여서 한 개를 얻어 피워 본 적이 있는데, 한 모금을 빠는 순간 목이 아프고 기침이 나와서 혼이 난 이후로 스스로 담배 체질이 아니라고 판단하고 피울 생각을 하지 않았다.

재학 중에 군대를 갔다 와서 졸업하는 것이 취업에 유리 할 것 같아서 2학년을 마치고 자원 입대를 했다. 함께 입대한 친구 C가 같은 소대 훈련병 대표를 맡았다. 육군 규정에 담배는 3일에 한 갑씩 지급하도록 되어있는데, 훈련소에서는 매일 담배 7개비씩 저녁 점호시간이 끝나면 대표가 나누어 주었다. 담배를 피우지 않는 나는 친구 C에게 내 몫을 모두 주었는데, 담배를 나누어 주면서 내 차례가 되면 담배는 주지 않고 씽끗 웃으며 그냥 자나갔다.

졸업을 한 후에 어느 해인가 동기 동창회에 참석한 이십여 명이 소주잔을 나누며 피워 댄 담배 연기가 실내에 가득 찼을 때 친구 C가 "훈련소에서 준 담배 7개비가 얼마나 고마운지 몰랐다!"고 옛날 이야기를 꺼냈다. "이 친구야! 그 때는 내가 담배를 피우지 않아서 그랬지 지금 같으면 어림도 없다."고 하면서 담배를 꺼내어 입에 물었다.

내가 담배를 피우기 시작한 것은 카투사에 근무를 하면서 제대가 얼마 남지 않은 어느 날, 야간 근무를 함께하는 미군 아이가 피우는 살렘(Salem) 한 대를 피운 것을 시작으로 한 번 두 번 피우던 것이 35년의 긴 세월 동안 담배를 입 물고 지내게 된 것이다.

담배는 마약이라고 했다. 마약은 한 번 손대면 평생을 헤어나지 못하듯이 늦게 배운 담배가 언제부터인가 줄 담배가 되어버렸다. 애연가들에게 담배는 마음의 위안이고, 즐거움이며, 스트레스를 해소해 주는 만병통치약이다. 그래서 담배 냄새의 유혹을 떨쳐버리지 못하는 것 같다.

어떤 때는 향긋하고, 어떤 때는 매캐하고, 어떤 때는 구수하고, 어떤 때는 씁쓸하다. 부슬부슬 비가 내리는 날 창문을 열어놓고, 내리는 빗줄기를 바라보며 피우는 담배는 달콤한 커피 향 같고, 공원 벤치에 앉아서 피우는 담배는 낙엽을 태우는 가을 향기 같고, 자가용을 운전하며 차창을 내리고 피우는 담배는 얼음이 동동 떠있는 콜라를 마시는 기분이다. 이렇게 좋아하는 담배를 퇴직을 하면서 딱 끊어버렸다. 제일 좋아하는 사람은 아내였다. 그동안 담배 연기 냄새 때문에 얼마나 머리가 아팠는지 모른다고 하였다.

지금은 사회가 금연하는 추세로 변하면서 많은 빌딩들이 금연 빌딩으로 지정되고, 담배를 피우던 공원도 금연 지역으로 지정되었고, 살고 있는 아파트도 금연 아파트로 지정되면서 내 집에서 조차 담배를 피우지 못하게 되어 많은 애연가들이 담배 피울 장소를 찾지 못하여 애를 먹는 것 같다.

금연 후에 제일 먼저 느낀 것은 입안이 산뜻해 지고, 담배 연기 냄새가 달라졌다는 점이다. 길을 걸으며 담배 피우는 사람 곁을 지나면 그렇게 좋았던 담배 냄새가 혐오스럽고 역겨운 냄새로 바뀌었다.

"관리 사무소에서 알려 드리겠습니다. 우리 아파트는 금연 아파트로 지정 되어서 실내는 물론 계단이나 베란다에서 담배를 피울 수가 없습니다. 그런데 아직도 베란다에서 담배를 피우는 분이 있어서 이웃집에 피해를 주는 신고가 있으니 절대로 담배를 피우는 일이 없도록 다시 한 번 부탁의 말씀을 드립니다." 하루에 한 두 번은 반드시 방송되는 금연 방송이다.

며칠 전이다. 베란다 쪽에서 삼겹살 굽는 냄새가 진동을 한다. 아랫집에서 삼겹살을 구울 때 기름이 많이 튀기 때문에 베란다에서 굽는 것 같다. 담배 연기는 이웃집에 피해를 준다고 피우지 못하게 하면서, 사람의 코를 환장하게 만드는 삼겹살 굽는 냄새는 이웃집에 피해를 주지 않는단 말인가? 다음에 또 다시 베란다에서 삼겹살을 굽는 냄새가 올라오면 "고기 굽는 냄새 때문에 이웃집 두 늙은이가 삼겹살을 먹고 싶은 충동으로 정신적 피해를 입었으니 변상하라"고 항의를 하면 어떨까?

요즘은 건강을 염려하여 담배를 끊는 노인이 늘어가는 반면에 흡연하는 젊은이들이 늘어가는 추세라고 한다. 담배는 백해무익하다는 금연교육을 강화하여 모든 국민이 건강했으면 좋겠다. 담배를 끊는 것은 쉽지 않아서 일단은 줄이겠다고 하는 사람도 있지만 줄인다고 해서 줄여지는 것이 아니고, 확고한 의지와 결심으로 끊어야 하는 것이다.

아이가 둘씩이나 있는 집안에서 긴 세월을 뻔뻔하게 담배를 피웠지만 싫은 소리 한마디 하지 않고 참아 준 아내에게 이제야 비로서 미안하다는 말과 함께 감사의 말을 전한다.

부산 여름

대학을 졸업하고 첫 직장생활이 부산에서 시작되었다. 지금까지 한 번도 가본적이 없는 부산으로 떠나려니 겁부터 났지만 다행인 것은 군대에서 친하게 지냈던 친구 K가 부산에 살고 있다는 것이었다. K는 부산에서 태어나 초, 중, 고, 대학을 부산에서 마치고 부산은행에 근무하고 있는 토박이인데, 내가 부산으로 취직이 되었다고 하니까 무척 반가워하며 올 때 연락하면 마중을 나가겠다고 하였다.

월요일 출근이어서 일요일 오후 새마을호의 전신인 관광호를 타고 서울역을 출발하여 대전역과 동대구역에서 잠시 멈춘 열차는 4시간 45분만에 부산에 도착하였다. 지금의 KTX에 비하면 많은 시간이 소요되었지만 당시에는 제일 빠른 특급열차였다. 마중을 나와 있던 K는 반갑게 맞아주며 택시를 타고 광복동으로 향했다.

광복동은 부산에서 가장 번화한 거리로 상상외로 많은 사람들이 오가고 있었다. 그는 저녁부터 먹자며 P한정식으로 들어갔다. 이른 시간이어서 넓은 홀은 한산하였다. 그는 나에게 묻지도 않고 한정식을 시키면서 부산에 처음 왔으니 부산 한정식을 먹어보라는 것이다.

잠시 후 생선회를 비롯해서 멍게, 해삼, 소라, 꼬막 같은 처음 보는 해산물이 가득하게 차려진 부산식 한정식은 새로운 세상처럼 신기하였다. 식사를 하면서 친구는 부산 사람은 말씨는 투박해도 따뜻한 정이 있어서 각박한 서울보다 훨씬 살기 좋은 곳이라며 아주 잘 왔다고 격려를 해주었다.

식사를 마치고 송도해수욕장으로 향했다. 모래사장을 끼고 길게 늘어선 활어횟집들을 지나서 출렁다리를 건너 거북섬 3층 건물 옥상에 있는 노천 카페로 올라갔다. 날이 저물어 바닷물은 보이지 않았지만 들려오는 파도 소리가 신비로운 분위기를 만들었다. 친구는 맥주 두 병과 마른 안주를 시키면서 부산에서 살다 보면 여름에 피서를 오는 친구나 친지들이 많아서 계획에 없는 손님 접대를 하는 경우가 많을 것 이라며, 오늘 식사한 P회관과 이곳 거북섬은 부산의 분위기를 충분히 느낄 수 있으면서 가격이 착해서 손님을 접대할 경우에 도움이 될 것이라고 조언까지 해주고, 예약해 놓은 여관까지 안내 해주면서 "내일 아침에는 생물 대구로 끓인 맑은 해장국을 한번 먹어봐"라고 알려주고는 헤어졌다.

이렇게 부산 생활이 시작되어 여름이 지난 어느 날. 직원 동료들과 점심식사를 마치고 다방에서 커피를 마시며 담소를 나누고 있었다.

"박형은 올 여름에 손님을 몇 탕이나 치렀나요?"

"저는 두 번입니다."

"최형은요?"

"저는 세 번이지요"

"이형은 여러 번 손님 치레를 하신 것으로 아는데요?"

"말도 마세요. 무려 네 번입니다. 꼼작 없이 이달에는 가불을 해야 할 형편이네요."

부산은 여름의 도시이다. 우리나라 최고의 해운대 해수욕장을 비롯해서 광안리해수욕장, 송도해수욕장, 다대포해수욕장, 송정해수욕장, 일광해수욕장 등이 있고, 여름만 되면 전국에서 백만 명 이상의 피서객이 모였다는 뉴스가 해마다 매스컴에 단골 소식으로 보도된다.

여름방학이 시작되면 어김없이 찾아오는 친척이나 친지들을 대접하느라고 애를 먹는 것이 부산 사람들이 겪는 여름 생활이다. 오죽하면 내가 부산에 처음 왔을 때 토박이 친구가 손님 접대 코스를 미리 알려준 일까지 있었을까?

"박수광님 전화 받으세요!"

핸드폰은 커녕 키폰도 설치되지 않았던 그 시절에는 사무실로 걸려오는 전화를 먼저 받는 사람이 전화 받을 사람에게 연결해 주었다.

"여보세요 전화 바꿨습니다. 누구신가요?"

"형! 나야 영환이!"

"그래, 어쩐 일이야?"

"형 보고 싶어서 부산에 왔어!"

올 봄에 대학을 입학하여 새내기 대학생이 된 이종사촌 동생 영환이는 방학을 이용해서 친구와 함께 부산을 시작으로 울산, 영덕, 삼척을 거쳐 강릉, 속초, 고성까지 동해안 일주 무전여행을 한다는 것이다.

당시 학생들 사이에는 무전여행이 유행하였는데 아무리 무전여행이라고 해도 현지의 친척이나 친구 집을 찾아서 신세를 지며 최소의 경비로 여행을 하는 것이다. 드디어 말로만 듣던 여름 손님이 찾아 온 것이다. 퇴근 시간에 용두산 공원에서 만나기로 하였다.

'그것 참! 영환이 혼자 왔으면 부담이 적을 텐데 친구와 함께 왔으니 이 녀석들을 어떻게 대접해 줘야 할까?' 고민 하다가 술을 못 먹는 내가 동생들에게 술을 사주는 것 보다는 차라리 술값을 용돈으로 주는 것이 좋을 것 같아서 저녁을 먹으러 친구가 알려준 P한정식으로 가려다가 젊은 아이들이 한정식을 좋아할 것 같지않아 광복동에서 소문난 경양식 집으로 갔다.

이태리 스타일의 실내 분위기가 제법 고급스럽다. 뭘 먹겠냐고 물었더니 형님 마음대로 하라고 한다. 가격은 좀 비싸지만 특선세트 A코스를 주문했다. 잠시 후에 함박스테이크, 돈까스, 생선까스가 차례로 나올 때 마다 싱글벙글이다. 식사를 마친 후 자갈치 시장을 한 바퀴 돌아보고 하숙집으로 왔다. 너희들에게 모텔이라도 잡아주고 맥주 한 잔을 사주고 싶지만 무전 여행을 한다니까 불편하더라도 내 방에서 하룻밤을 같이 자고, 하숙집 아줌마가 차려주는 아침밥을 먹고, 떠날 때 용돈을 조금 챙겨주겠다고 하였더니 우리 형님 최고라고 엄지 척이다.

처음 맞는 부산 여름 손님은 이렇게 간단하게 끝나는 줄 알았는데, 제주도로 신혼여행을 갔던 고등학교 친구가 부산에 있는 나를 보고 싶다고 여행 코스를 부산으로 잡았다는 것이다.

신혼여행길에 신부와 함께 찾아온 친구가 무척 부담스러웠지만 아주 잘 왔다고 표정관리를 하면서 반갑게 맞이하여 부산 토박이 친구가 가르쳐 준 대로 부산 한정식에서 저녁을 먹고, 거북섬 옥상 노천 카페에서 맥주 마셨더니 신혼 부부 친구는 파도소리가 너무 좋다며 부산에 잘 왔다고 만족해 한다.

그 후에도 찾아오는 손님들은 나의 접대 코스로 안내를 하다 보니 내가 처음 부산에 왔을 때 대접을 받고 '뿅'갔듯이 누구든지 부산의 정취를 느낄 수 있어서 만족했고, 부담없이 손님을 접대할 수 있어서 얼마나 다행인지 모른다. 토박이 친구에게 진심으로 감사하고, 비법 코스를 하나만 더 알려 달라고 해야겠다.

호롱불 세대

전기가 없던 시절에 태어난 나는 등잔불과 호롱불을 켜고 살았다. 등잔은 토기나 사기 또는 놋이나 철재로 만든 오목한 접시 모형의 그릇에 콩기름이나 피마자 기름 같은 식물성 기름을 담고, 실이나 한지 또는 천으로 심지를 만들어 불을 밝혔다. 그 후 일본으로부터 석유가 들어오면서 뚜껑이 없는 등잔은 석유를 사용할 수 없어서 작은 항아리 모형의 호롱이 등장하게 되었다.

호롱불 이후에 가장 오랫동안 사용한 것이 남폿불이다. 남포는 호롱에 비하여 몇 배 더 밝고 외국에서 들어 온 램프(Lamp)를 우리 말로 남포라고 부르게 된 것 같다고 한다. 남포는 전깃불이 생긴 이후까지 전기가 들어오지 않는 시골이나 외딴집에서 사용 하였다.

훈련소에 입소하여 6주간의 훈련을 마치고 배치된 곳은 강원도 중부전선 최전방이었다. 당시에는 남과 북이 휴전선을 사이에 두고 확성기를 통하여 상대방의 자존심을 자극하는 내용을 방송하면서 극한 대립을 하던 시절이었다.

당시 대부분의 도시에는 전기를 사용하고 있었지만 1960년대 중반까지 전방 군부대 내부반에는 전기가 들어오지 않아서 밤에는 남폿불을 켜고 생활하였다.

배속된 지 얼마 되지 않아서 신참인 나는 하룻밤을 켜고 나면 모두 소모되는 남포에 석유를 채워 넣고, 밤새도록 불을 켜서 생긴 유리 등피에 그을음을 깨끗이 닦아 놓고, 해가 져서 어둠이 깃들면 내무반 입구와 안쪽에 있는 두 개의 남포에 불을 켜 놓는 것이 하루 일과를 마친 후에 주어진 또 하나의 책임이었다.

남폿불을 밤새도록 켜놓고 잠을 자고, 아침에 일어나면 석유가 타면서 발생한 검은 그을음이 콧구멍 가득 차서 코를 풀면 시커먼 덩어리가 징그럽게 쏟아져 나오기도 하였다.

어느 날 예상치 못했던 큰 사건이 발생하였다. 남포에 석유를 넣으려니까 석유가 없는 것이다. 낮에 수송부에서 석유를 수령해 와야 하는 것을 깜빡 했던 것이다. 정신이 하나도 없었다. 석유통을 들고 허겁지겁 수송부로 달려갔으나 일과시간이 끝나서 담당자가 외출하여 석유를 꺼낼 수가 없다는 것이다. 정말로 큰일이 생긴 것이다. 내무반에 불을 켜지 못하는 것은 보통 사건이 아니다. 깜빡 잊고 석유 수령을 못했다고 변명을 해봐야 군대에서는 이유가 없다.

어떻게 하나? 눈 앞이 캄캄한데 사람이 죽으란 법은 없는 것 같다. 사무실 난로에 사용하는 석유를 넣으면 되겠다는 생각이 번뜩 떠올랐다. 석유통을 들고 누구에게 들킬까 봐 조심조심 건물 뒤로 가서 사무실로 들어가는 호스를 빼내어 석유를 가득 받았다. 드디어 해결이 된 것이다.

하지만 날이 어두워 지면서 남폿불을 켜놓은 후에 문제가 발생하였다. 난로에 사용하는 기름이 석유인 줄 알았던 것이 경유였던 것이다. 원래 호롱불이나 남폿불에는 석유를 정제한 등유를 사용하는데 석유도 아니고 경유로 불을 켰으니 심하게 발생한 그을음이 등피에 달라 붙기 시작하면서 투명한 유리가 점점 흐려지더니 결국에는 내무반이 어두워 지기 시작하는 것이었다.

이대로 가다가는 완전히 깜깜해 질 상황이 올 것 같았다. 심장이 콩닥콩닥 뛰기 시작하면서 숨쉬기 조차 힘들게 가슴이 답답해 오는데 다행히 점호가 끝나고 취침시간이 되어 소등을 하게 되었다.

아슬아슬한 순간에 위태로운 사태를 넘겼지만 혹시라도 불침번을 서는 동안 고참병이 눈치를 채고 남폿불 당번을 호출하지 않을까 마음 조리며 한밤을 지새웠던 적이 있다.

한국전쟁이 끝나고 서울이 수복되자 파손되었던 전선이 복구되면서 전기불이 들어왔다. 흐릿한 호롱불 아래서 생활하다가 전기불은 들어왔지만 전력이 부족하여 밤 10시까지 제한 송전을 하고, 13W의 흐린 전등을 켰지만 눈을 뜬 것 같이 환한 밤이 살 것 같았다.

세월이 흘러 밤이 되면 오색 불빛으로 낮보다 더 화려하고 찬란한

네온사인이 춤을 추는 세상이 되었다. 이렇게 멋진 날이 올 수 있도록 힘들게 살아오신 어르신들의 노고를 한 번쯤 생각하고, 풍족할 때 아끼는 생활을 했으면 좋겠다.

해 질 녘의 꿈

발 행 | 2024년 8월 1일

저 자 | 박수광

펴낸이 | 한건희

펴낸곳 | 주식회사 부크크

출판사등록 | 2014.07.15(제2014-16호)

주 소 | 서울시 금천구 가산디지털1로 119 SK트윈타워 A동 305호

전 화 | 1670-8316

이메일 | info@bookk.co.kr

ISBN | 979-11-410-9891-9

www.bookk.co.kr

-참고사항-

본 작품에 나오는 자료는 NAVER 지식백과 두산백과를 참고로 하였습니다.